Angle de phase, état nutrit

Natália Fenner Pena

Angle de phase, état nutritionnel et résultats cliniques en oncologie

Association de l'angle de phase avec l'état nutritionnel et les résultats cliniques chez les patients en oncologie chirurgicale

ScienciaScripts

Imprint

Cover image: www.ingimage.com

This book is a translation from the original published under ISBN 978-613-9-60725-9.

Publisher:
Sciencia Scripts
is a trademark of
Dodo Books Indian Ocean Ltd. and OmniScriptum S.R.L publishing group

120 High Road, East Finchley, London, N2 9ED, United Kingdom
Str. Armeneasca 28/1, office 1, Chisinau MD-2012, Republic of Moldova, Europe

ISBN: 978-620-7-30257-4

REMERCIEMENTS

Tout d'abord, je voudrais remercier Dieu, mon ami fidèle, le maître de ma vie... de m'avoir ouvert la porte, de m'avoir permis, éclairé, de ne pas m'avoir laissé baisser les bras, de m'avoir guidé et fortifié à tout moment.

À ma famille. En particulier ma mère, mon père, mes frères, Lipe, Jairo, ma belle-mère Lúcia, ma grand-mère Marina et mon mari bien-aimé, Leonardo. Merci pour votre amour inconditionnel, votre compréhension de mes fréquentes absences et votre soutien. Merci pour vos encouragements et pour avoir toujours cru en moi. Vous ajoutez indubitablement de la joie, de l'amour agapé et de la bénédiction dans ma vie.

Au professeur Simone de Vasconcelos Generoso, mon conseiller, et au professeur Maria Isabel T D. Correia, ma co-superviseure, pour m'avoir donné l'opportunité de réaliser ce projet, pour l'apprentissage et la croissance que j'ai acquis dans ce nouveau défi et pour toutes les contributions à ma formation scientifique.

A Ariene, ma doctorante, pour sa patience, son enseignement et son affection. Je ne la remercierai jamais assez pour sa disponibilité (y compris les week-ends, les soirées et les jours fériés) et les connaissances que j'ai acquises en statistiques. Je te souhaite beaucoup de succès et que tous tes rêves se réalisent ! Je vous remercie de tout cœur !

Aux chercheurs déjà impliqués dans ce projet et aux étudiants de premier cycle, en particulier Nayhara et Regiane. Merci de m'avoir accompagné jusqu'au bout de ce projet, avec beaucoup de détermination, pour qu'il devienne vraiment une réalité. Merci pour votre affection, votre volonté et votre engagement. Je vous souhaite de réaliser tous vos rêves !

Aux coordinateurs (Professeur Aline), aux enseignants et au personnel collégial (Mateus) du programme de troisième cycle en nutrition et santé de l'UFMG. Je tiens à remercier le professeur Tatiani pour sa réceptivité initiale. Professeur Mariza, merci pour votre soutien, même lorsque vous étiez malade, vous m'avez toujours accueillie avec le sourire, de l'affection et de la volonté ! Mes remerciements vont également à Petterson, professeur au Centre universitaire de l'UNA, pour sa diffusion et son soutien. Merci à vous tous d'avoir toujours contribué à mon éducation.

A Silvia Maurício, doctorante. Merci pour tes enseignements, tes mots et ta patience, qui ont été essentiels dans la dernière ligne droite de ce projet. Bonne continuation !

À mes amis et collègues de l'Advanced Heart Institute et de la Diabetes Weekend Colony (en particulier le Dr Felipe Prado, le physiothérapeute Juliano, le Dr Levimar Rocha) et au Dr Jáder Benedito. Merci pour vos contributions cliniques, votre confiance, pour m'avoir soutenue, ouvert des portes, compris et toujours encouragé.

A mon groupe de prière, la petite fraternité Casa de Nazaré de la paroisse de Castelo. Merci pour vos prières, votre lumière, votre force et votre amitié ! Dieu a guidé des amis qui m'ont fortifiée. Au Dr Filó aussi, pour ses paroles, souvent brusques, mais qui m'ont rempli d'espoir et m'ont fait comprendre que je n'ai pas besoin de tout comprendre ou de tout savoir... mais que je dois faire ma part, travailler dur, étudier dur et seulement faire confiance, m'abandonner et attendre le Père.

À mes amies Mara, Thaís et Karla Canaã pour leur soutien constant, leurs prières et leur énergie positive. Elândia, Gisele, Isabela, Eloisa, mes camarades de master, merci de m'avoir aidée quand j'en avais besoin et d'avoir transformé ce temps passé ensemble en amitié, avec des moments de joie et de foi. Merci également à tous mes collègues de la première promotion du master en nutrition et santé.

Au personnel de l'Hospital das Clínicas (Institut Alfa), en particulier à l'équipe d'infirmières qui a cru en moi et m'a aidée à prélever la glycémie (en particulier Jane et Nilza). Merci d'avoir accepté de m'aider, d'avoir contribué à ce projet et d'être toujours prêts à m'aider.

Aux patients et à leurs familles, à l'origine de cette étude, qui, malgré le diagnostic d'une maladie aussi grave, ont fait preuve de courage pour affronter le traitement.

Bref, il serait impossible de citer tout le monde ici et encore plus injuste d'oublier quelqu'un... Je remercie sincèrement tous mes amis, collègues et anges que Dieu a placés sur mon chemin pendant cette période.

RÉSUMÉ

L'angle de phase standardisé (SFA) est une mesure dérivée de la bioimpédance électrique (EBI) ajustée en fonction du sexe et de l'âge. L'AFP est capable d'évaluer l'intégrité des membranes cellulaires et a récemment été étudiée en tant qu'indicateur possible de l'état nutritionnel et facteur pronostique chez les patients atteints de cancer. Cependant, peu d'études ont évalué le comportement de l'AFP en tant qu'indicateur de l'état nutritionnel et des résultats cliniques défavorables chez les patients atteints de cancer. **Objectif :** évaluer l'association entre l'AFP et les variables de l'état nutritionnel préopératoire et les résultats cliniques chez les patients ayant subi une chirurgie oncologique. **Méthodes :** étude longitudinale et prospective de patients ayant subi une chirurgie oncologique et admis à l'Institut Alfa de gastroentérologie de l'hôpital das Clínicas de Belo Horizonte, Minas Gerais. L'état nutritionnel des patients a été évalué avant l'opération (préopératoire) et les résultats cliniques ont été évalués après l'opération jusqu'à la sortie de l'hôpital. Les données sur l'état nutritionnel ont été obtenues dans la période préopératoire immédiate à l'aide de l'évaluation globale subjective (SGA), de la circonférence du bras (AC), du pli cutané du triceps (TSF), de la zone musculaire du bras (AMA), du pourcentage de perte de poids (WLP) et de la fonctionnalité à l'aide de la dynamométrie. La PFA a été obtenue par BIA et calculée selon l'équation suivante : PFA = PFA mesurée - PFA moyenne (pour l'âge et le sexe)/écart-type de la population, en fonction de l'âge et du sexe. Les données relatives aux résultats cliniques et à la glycémie capillaire ont été recueillies à partir des dossiers médicaux et des trajets au lit. Des analyses descriptives et bivariées ont été réalisées ; l'accord entre les méthodes a été obtenu à l'aide du coefficient kappa et des modèles de régression logistique simple ont été utilisés pour évaluer l'association entre l'AFP, l'état nutritionnel et les résultats cliniques dans cette population. Le test d'Ancova a été utilisé pour comparer les moyennes de glycémie capillaire en fonction de la catégorisation de l'AFP. Un niveau de signification de 5 % ($p<0,05$) a été adopté pour toutes les analyses. **Résultats :** 121 patients ont été inclus dans cette étude. L'âge moyen des participants était de 58,8 ± 12,5 ans, et 52,9 % étaient des hommes. La prévalence de la malnutrition constatée selon l'AGS était de 63,6 %, tandis que 28,1 % des patients avaient des valeurs d'AFP inférieures au 5e percentile. En préopératoire, les personnes classées comme étant à risque nutritionnel selon la catégorisation AFP étaient plus susceptibles d'être mal nourries selon l'AGS (OR=3,66 ; 95% CI :1,35-9,90), CB (OR=4,24 ; 95% CI : 1,72-10,43), AMB (OR=4,38 ; 95% CI : 1,68-11,42), dynamométrie (OR=3,84 ; 95% CI : 1,31-11,25) et ayant un pourcentage plus élevé de perte de poids (PPP) ; (OR=3,86 ; 95% CI : 1,64-9,06) ; ($p<0,05$). Une concordance significative a été observée en période préopératoire entre l'AFP et la classification AGS (0,29 ; $p=0,001$), la dynamométrie (0,25 ; $p=0,003$) et l'AMB (0,24 ; $p=0,003$). En ce qui concerne les résultats cliniques, une prévalence élevée de complications infectieuses (57,0 %) a été identifiée chez les patients cancéreux évalués, et ceux classés comme étant à risque par l'AFP étaient 3,51 (IC 95 % : 1,37-8,99 ; $p=0,009$) fois plus susceptibles d'avoir des complications infectieuses au cours de leur séjour à l'hôpital. Il n'y avait pas d'association entre l'AFP et les autres résultats évalués ($p>0,05$). **Conclusion :** nos résultats suggèrent que l'AFP peut être considérée comme un outil utile, plus précoce que les paramètres traditionnels, qui peut aider à évaluer et à classer l'état nutritionnel des patients cancéreux hospitalisés. Elle s'est également révélée être un bon indicateur pronostique, capable de prédire les complications infectieuses et a montré une tendance significative d'association en relation avec l'hyperglycémie hospitalière évaluée. De futures études pourraient confirmer ces résultats et déterminer si l'AFP, utilisée en combinaison avec d'autres outils de diagnostic nutritionnel chez ces patients, augmenterait sa sensibilité dans la détection d'états nutritionnels plus affaiblis.

Mots clés : Cancer. État nutritionnel. Angle de phase standardisé. Résultat clinique. Hyperglycémie à l'hôpital. Force musculaire.

RÉSUMÉ

CHAPITRE 1

INTRODUCTION

L'évaluation nutritionnelle en milieu hospitalier manque encore d'une méthode unique, considérée comme "standard", qui permette de diagnostiquer les altérations nutritionnelles de manière objective et avec un haut niveau d'efficacité, de sensibilité et de spécificité au cours de l'hospitalisation, en particulier chez les patients atteints de cancer (ACUNA ; CRUZ, 2004 ; GUPTA *et al.*, 2004a ; 2004b).

L'angle de phase (AP) a suscité l'intérêt au cours des dernières décennies, car il s'agit d'une méthode objective, rapide et non invasive obtenue à l'aide de la bioimpédance électrique (BIA). Ce paramètre découle directement de la relation entre la réactance (capacité résistive des membranes cellulaires) et la résistance (opposition pure du conducteur biologique au courant électrique), que les tissus corporels offrent au passage d'un courant électrique de faible intensité (BARBOSA-SILVA *et al.*, 2005a ; NORMAN et *al.*, 2006 ; BARBOSA-SILVA *et al.*, 2008 ; PAIVA *et al.*, 2010).

L'AP étant capable de refléter l'intégrité des membranes cellulaires et la répartition de l'eau entre les milieux intra et extracellulaires, il a été interprété comme un indicateur de l'état de santé et est considéré comme un bon marqueur pronostique dans différents types de pathologies (SCHWENK *et al...*, 2000 ; SELBERG *et al.*, 2002 ; KYLE et *al.*, 2012 ; BERBIGIER et *al.*, 2013), y compris le cancer (GUPTA *et al.*, 2004b ; GUPTA *et al.*, 2008 ; HUI et *al.*, 2014). En outre, des données suggèrent que l'AP est également associée à des changements dans l'état nutritionnel et peut être utilisée comme outil de diagnostic nutritionnel (BARBOSA-SILVA *et al.*, 2005b ; NORMAN *et al.*, 2012 ; MALECKA-MASSALSKA., 2015).

Cependant, l'utilisation de l'AP pour diagnostiquer l'état nutritionnel et prédire les complications reste controversée. Ce désaccord est en grande partie dû aux différents seuils utilisés dans la littérature, associés au fait que l'AP change en fonction de certains de ses déterminants, tels que le sexe, l'âge et dans différentes populations (BARBOSA-SILVA, 2008 ; NORMAN *et al.*, 2012).

Dans ce sens, l'utilisation de l'angle de phase standardisé (SPA) a été de plus en plus proposée (BARBOSA-SILVA, 2008), puisque ce paramètre fournit la valeur de l'angle de phase corrigée par la déviation standard déterminée pour la population, en fonction de l'âge et du sexe du patient (BARBOSA-SILVA, 2008). Selon Paiva *et al.* (2010), l'IFP est considéré comme un facteur pronostique indépendant chez les patients atteints de cancer pour les résultats cliniques et la survie. En outre, bien qu'il y ait encore peu d'études dans la littérature scientifique, les données montrent que l'AFP semble également être un bon marqueur de l'état nutritionnel, fournissant de meilleures informations pronostiques sur les individus que l'utilisation de l'AP dans ses valeurs absolues, c'est-à-dire obtenues en degrés (BARBOSA-SILVA, 2008 ; PAIVA *et al.,* 2010).

La détérioration et la difficulté à maintenir un état nutritionnel adéquat sont fréquentes chez les patients hospitalisés et sont directement liées à l'efficacité du traitement et à la qualité de vie (LEANDRO-MERHI, 2008 ; KAISER *et al.*, 2010 ; KVAMME et *al.*, 2015 ; CACCIALANZA *et al.,* 2015). On sait que les patients atteints de cancer présentent un risque accru de malnutrition et de complications postopératoires (BOZZETTI *et al.*, 2001 ; 1999 ; INCA, 2015a). Par conséquent, l'évaluation nutritionnelle et les interventions précoces sont essentielles dans les soins prodigués à ces patients.

Le cancer est considéré comme une maladie chronique non transmissible dont la principale caractéristique est une croissance cellulaire désorganisée. Il est l'une des principales causes de décès dans le monde et constitue un problème de santé publique évident (GUERRA ; GALLO ; MENDONÇA, 2005 ; INCA, 2015a). Selon l'Organisation mondiale de la santé (OMS), on estime qu'en 2030, il y aura environ 21,4 millions de nouveaux cas de cancer et 13,2 millions de décès dus au cancer dans le monde (ORGANISATION MONDIALE DE LA SANTÉ, 2015).

Environ 20 à 62% des patients cancéreux hospitalisés sont exposés au risque de malnutrition dans des pays tels que le Brésil et environ 80% des patients admis dans les services hospitaliers présentent déjà un certain degré de malnutrition au moment du diagnostic initial (DUCHINI *et al.*, 2010 ; DUVAL *et al.,* 2010 ; BADIA-TAHULL *et al.,* 2014). Dans l'étude d'Azevedo *et al*, 2006), les chercheurs ont vérifié l'état nutritionnel des patients hospitalisés et ont constaté que la malnutrition était présente chez 24,3 % des patients, et lorsque l'on stratifie en fonction des personnes diagnostiquées avec un cancer, le pourcentage a plus que doublé, totalisant 53,3 % des patients, soit un peu plus de la moitié de la population évaluée. Selon les données de l'enquête brésilienne sur la nutrition oncologique (IBNO) (INCA, 2013), la prévalence de la malnutrition chez les patients atteints de cancer, évaluée par l'évaluation globale produite par le patient (AGS-PPP), était également élevée, puisque 45,1 % des patients ont été classés avec un certain degré de malnutrition lorsqu'ils ont été évalués à l'aide de ce paramètre. Dans une étude multicentrique menée auprès de 4 000 patients hospitalisés dans le cadre de l'enquête brésilienne sur l'évaluation nutritionnelle (IBRANUTRI), il a été observé que 48,1 % des individus étaient classés comme malnutris selon l'évaluation globale subjective (SGA). L'incidence des complications et le taux de mortalité étaient respectivement supérieurs de

11 % et de 7,7 % chez les patients diagnostiqués comme souffrant de malnutrition par rapport aux patients nourris. Cette étude a également montré que la fréquence de la malnutrition sévère chez les patients atteints de cancer était presque le double de celle observée dans la population générale (23,3 % *contre* 12,4 %). Ainsi, étant donné la prévalence élevée de la malnutrition, souvent associée à des résultats défavorables encore observés dans l'environnement des hospices, l'évaluation nutritionnelle devient un plus grand défi et nécessite des méthodes plus sensibles et objectives afin de diagnostiquer des changements de plus en plus précoces de l'état nutritionnel, en particulier chez les patients atteints de cancer, afin d'optimiser les ressources, d'améliorer le soutien et le suivi nutritionnel et, par conséquent, la qualité de vie de ces personnes.

Il a également été démontré que l'hyperglycémie est un résultat courant observé chez les patients hospitalisés et qu'elle est considérée comme un marqueur de mauvais pronostic pour les patients gravement malades, tant sur le plan clinique que chirurgical (RODRIGUES, 2008). Selon Baldasso *et al.* (2006), l'hyperglycémie peut être déclenchée par des raisons très caractéristiques de la routine hospitalière et l'une des principales causes est le stress, qui est probablement dû à une libération excessive d'hormones endogènes. Selon Grassani (2011), au cours de la dernière décennie, l'importance du contrôle de la glycémie en milieu hospitalier a été soulignée, sur la base de la physiopathologie de la glucotoxicité cellulaire, ce qui a permis de mieux comprendre l'impact délétère de l'hyperglycémie sur les patients hospitalisés et, d'un point de vue épidémiologique, de montrer une forte association entre l'hyperglycémie, la mortalité et les résultats défavorables. En outre, l'importance du contrôle intensif de la glycémie en milieu hospitalier est devenue un thème majeur des essais cliniques récents (VAN DER BERGHE *et al.*, 2001 ; VAN DER BERGHE *et al.*, 2006 ; GRASSANI, 2011).

Compte tenu de ce qui précède, l'importance de l'évaluation de la glycémie chez les patients atteints de cancer est soulignée, afin de vérifier s'il existe des changements significatifs par rapport aux périodes d'hospitalisation, le moment où ces changements se produisent et si cela est en corrélation avec l'angle de phase. À ce jour, il s'agit de la première étude à évaluer l'association entre les valeurs de l'AFP et les mesures de la glycémie capillaire chez les patients atteints de cancer. Une hypothèse plausible serait d'étudier l'intégrité de la membrane cellulaire, telle qu'évaluée par l'AFP, et sa relation possible avec la glycotoxicité cellulaire causée par la présence d'une hyperglycémie.

Dans ce contexte, cette étude visait à évaluer l'état nutritionnel des patients en chirurgie oncologique hospitalisés à l'Institut Alfa de gastro-entérologie, avec pour objectif principal de vérifier l'intégrité cellulaire à l'aide de l'angle de phase standardisé (SPA) et de le comparer à d'autres paramètres couramment utilisés dans l'évaluation nutritionnelle de ces patients, ainsi que d'évaluer l'association du SPA avec des résultats cliniques défavorables et l'hyperglycémie à l'hôpital.

CHAPITRE 2

ANALYSE DOCUMENTAIRE

2.1 Évaluation nutritionnelle

L'évaluation nutritionnelle peut être réalisée à l'aide de différents instruments, notamment la bioimpédance électrique (BIA), l'évaluation subjective globale (SGA) et les paramètres anthropométriques, fonctionnels et biochimiques (BARBOSA-SILVA ; BARROS, 2002 ; DUCHINI *et al.*, 2010). Chaque méthode présente des avantages et des inconvénients (WAITZBERG ; CORREIA, 2003) qui doivent être pris en compte en fonction de la population à évaluer et des ressources disponibles dans chaque institution.

Selon le Consensus national sur la nutrition oncologique, élaboré par l'Institut national du cancer (INCA, 2009), l'utilisation conjointe de différentes méthodes d'évaluation nutritionnelle en milieu hospitalier est un outil important, car elle couvre différentes données nécessaires à la thérapie et à la diététique. Les soins nutritionnels pour les patients diagnostiqués avec un cancer doivent être individualisés et inclure différents types de soins jusqu'au suivi ambulatoire, avec pour objectif principal de prévenir ou d'inverser le déclin de l'état nutritionnel, ainsi que d'éviter la progression de la maladie vers la cachexie, avec une protéolyse et une réponse immunitaire accrues chez ces patients (INCA, 2013). Dans ce contexte, l'évaluation et le suivi nutritionnel général des patients atteints de cancer sont des outils fondamentaux qui font partie de la systématisation des soins pour les patients hospitalisés et visent également à obtenir de meilleurs résultats post-chirurgicaux et une meilleure qualité de vie pour ces patients (DAVIES, 2005 ; INCA, 2013).

Chez les patients hospitalisés en oncologie, l'évaluation nutritionnelle est considérée comme un défi encore plus grand, car ces patients peuvent présenter des altérations de l'équilibre des fluides corporels, comme l'œdème et l'hyperhydratation, qui influencent directement l'évaluation anthropométrique et les tests biochimiques (FONTES, 2011). Néanmoins, la perte et la variation fréquentes du poids corporel sont courantes et continuent d'être un indicateur important pour évaluer l'état nutritionnel de ces patients (RAVASCO *et al.*, 2011). Des études récentes ont montré que la perte de poids chez les patients atteints de cancer peut dépasser 10 % du poids corporel pendant le traitement, et qu'une perte de plus de 20 % du poids corporel total du patient entraîne une toxicité et une mortalité accrues, ainsi que des durées de traitement plus longues (PAIXÃO, GONZALEZ et ITO, 2015 ; COLASANTO *et al.*, 2005). En outre, une perte de poids involontaire comprise entre 5 % et 10 % du poids habituel peut être considérée comme significative et indique un risque nutritionnel, tout en étant directement liée à un mauvais pronostic chez les patients atteints de cancer (BOTTONI, 2001). Il convient de noter que le questionnaire AGS, qui inclut le pourcentage de perte de poids (WLP), bien qu'il soit considéré comme l'étalon-or pour le diagnostic nutritionnel des patients hospitalisés, en raison de sa subjectivité, n'est pas considéré comme un outil sensible pour le suivi de l'évolution nutritionnelle de ces personnes (STEENSON ; VIVANTI ; ISENRING, 2013).

En ce sens, il n'existe pas encore de méthode unique et standardisée d'évaluation nutritionnelle permettant de suivre l'évolution nutritionnelle des patients hospitalisés. En l'absence d'un paramètre unique, l'évaluation conjointe a été préconisée, car elle permet un meilleur diagnostic et un meilleur suivi de l'état nutritionnel du patient hospitalisé (BARBOSA-SILVA *et al.*, 2003 ; KYLE *et al,* 2004a ; MARTINS, 2008 ; JENSEN *et al.*, 2013 ; MAULDIN ; O'LEARY-KELLEY, 2015).

2.1.1 Bioimpédance électrique

L'analyse de la bioimpédance électrique (BIA) est une méthode non invasive, objective et portable utilisée pour évaluer la composition corporelle par l'application d'un courant électrique de faible intensité. Elle se caractérise par le fait qu'il s'agit d'une méthode sûre, dont les résultats sont reproductibles, rapides à obtenir et qui reflètent les propriétés électriques des tissus normaux ou affectés et le niveau d'hydratation du corps (BARBOSA-SILVA, 2005 ; PAIVA, 2007 ; OLIVEIRA, 2012 ; PAIXÃO ; GONZALEZ ; ITO, 2015).

Le principe de base de la BIA repose sur le fait que le corps humain est constitué d'un ensemble de cinq cylindres (deux bras, deux jambes et un torse) qui offrent des résistances différentes au passage d'un courant électrique de faible intensité et que l'hydratation des tissus est stable (HORIE *et al.*, 2008). En outre, on peut déduire que le corps humain est divisé en deux grands compartiments : l'un dans lequel la majeure partie du corps est constituée d'eau et d'électrolytes, et l'autre constitué de graisse et de tissus qui ne contiennent pas d'eau (KYLE *et al*, 2004a). Sur la base de la mesure de la résistance totale du corps au passage d'un courant électrique de faible amplitude (500 à 800 UA) et de haute fréquence (50 kHz), il est possible d'identifier les principales composantes de la BIA : la réactance (Xc), la résistance (R) et l'impédance (Z) (BARBOSA-SILVA, 2005 ; HORIE *et al.*, 2008 ; WILHELM-LEEN *et al.*, 2014 ; SILVA et *al.*, 2015).

La mesure de la réactance (Xc=opposition au passage du courant électrique causée par la capacité produite par la membrane cellulaire) est également liée à l'équilibre hydrique extra et intracellulaire et à la capacité des tissus maigres à conduire le courant électrique, car ils contiennent une plus grande quantité d'eau et d'électrolytes. Ils présentent donc une faible résistance au passage du courant électrique (HORIE *et al.*, 2008). En revanche, la mesure de la Résistance (R=mesure de l'opposition au passage du courant électrique dans le corps) se réfère aux compartiments adipeux et osseux qui, n'étant pas de bons conducteurs d'énergie, offrent une plus grande résistance au passage de ce courant (KYLE *et al.*, 2004a ; KAMIMURA et *al.*, 2005 ; HORIE et *al.*, 2008). L'impédance (Z) s'exprime comme la racine carrée de la somme des carrés de R et de Xc, associés au circuit, et peut également être définie comme la chute de tension lors du passage d'un courant électrique dans le corps (KYLE *et al.*, 2004a ; HORIE *et al.*, 2008).

Différentes formules mathématiques ont été élaborées à partir des valeurs de réactance et de résistance afin d'obtenir le résultat final de la quantité de graisse corporelle, d'eau totale et de masse musculaire maigre des individus (BARBOSA-SILVA, 2005 ; HORIE *et al.*, 2008).

Différents appareils de BIA peuvent être utilisés. Ils diffèrent en termes de coût, de type de courant et de fréquence, ainsi que de formules fournies (HORIE *et al.*, 2008). Les appareils monofréquence (BIA-FU) ont généralement une fréquence de 50 kHz, ce qui leur permet d'estimer la masse grasse (FFM) et de fournir des mesures telles que l'eau corporelle totale (TBA), mais ils ne sont pas en mesure de distinguer la distribution de l'eau extracellulaire et intracellulaire. En revanche, les appareils BIA multifréquence (BIA-MF) sont capables d'estimer la masse adipeuse et le TCA, en différenciant l'eau intra- et extracellulaire à l'aide de différentes fréquences pouvant aller de 0 à 1 000 kHz. L'évaluation par BIA segmentée (BIA- SG) permet d'estimer la masse grasse (BF) et la masse maigre (LBM) par région du corps, ainsi que de vérifier les changements dans les fluides corporels dans différentes pathologies. Elle est généralement réalisée au moyen de la BIA-MF avec l'ajout de 02 électrodes au poignet et au pied, en vue d'une plus grande précision dans l'évaluation de la composition corporelle (KYLE *et al.*, 2004a ; HORIE *et al.*, 2008).

Pour réaliser la BIA, l'individu doit être allongé, les membres en abduction, les bras écartés de 30° du tronc et les jambes écartées de 45°. Deux électrodes sont ensuite placées sur chaque membre (une distale et une proximale) unilatéralement sur le poignet et la cheville, avec une distance d'au moins 5 cm entre elles (KYLE *et al.*, 2004a). En outre, certaines recommandations doivent être suivies afin de minimiser les interférences possibles dans les résultats, telles que : le jeûne de nourriture, de boisson et d'alcool pendant au moins quatre heures ; l'état de la peau (le professionnel effectuant le test doit évaluer l'absence de lésions sur la peau du patient et sur le site de positionnement des électrodes, ainsi que la désinfection à l'alcool pour l'asepsie) ; les facteurs environnementaux (s'assurer que le patient se trouve dans un environnement neutre, sans contact avec le métal du lit ou tout autre champ électro-magnétique. Ces exigences et d'autres doivent être adoptées avant le début du test (KYLE *et al.*, 2004a).

L'utilisation de la BIA présente certaines limites. La présence d'anomalies dans la composition corporelle de certains individus, telles que des œdèmes, des ascites et des changements généraux dans l'état d'hydratation, peut surestimer la valeur de la masse maigre (BARBOSA-SILVA *et al.*, 2008 ; HORIE *et al.*, 2008). En outre, l'application et l'utilisation de formules ou d'équations standardisées trouvées dans différents types d'appareils BIA ne s'appliquent souvent qu'à des individus sains et eutrophes ou à des populations spécifiques. C'est pourquoi elles ne conviennent pas à l'évaluation de tous les types de populations étudiées (COPPINI *et al.*, 2005 ; HORIE *et al.*, 2008).

Cependant, la BIA peut être utilisée de manière plus efficace et plus fiable en utilisant les valeurs absolues de résistance et de réactance fournies directement par l'appareil, sans qu'il soit nécessaire d'utiliser des formules, des poids ou des équations de régression spécifiques. Une façon d'utiliser ces valeurs est d'obtenir l'angle de phase, qui est dérivé directement de la relation entre la résistance et la réactance (KYLE *et al.*, 2004b ; BARBOSA-SILVA, 2005) et semble être lié à la malnutrition et à la post-intervention nutritionnelle (BARBOSA-SILVA., 2003 ; NORMAN *et al.*, 2006 ; MALECKA-MASSALSKA., 2015).

2.1.2 Angle de phase (PA)

*L'*angle de phase (AP) déterminé par l'analyse BIA est directement dérivé de la relation entre la réactance (Xc : capacité résistive des membranes cellulaires) et la résistance (R : opposition pure du conducteur biologique au courant électrique) (FIGURE 1) offertes par les tissus corporels, et est interprété comme un indicateur de l'intégrité des membranes cellulaires, ainsi que comme étant lié au pronostic et à l'état de santé général du patient (NORMAN *et al.*, 2006 ; PAIVA *et al.*, 2010).

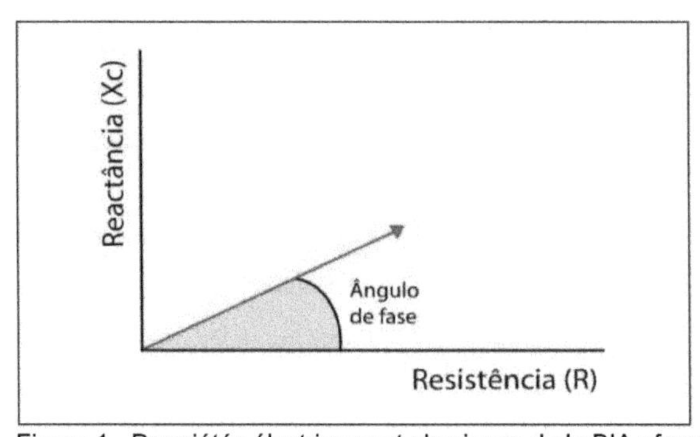

Figure 1 - Propriétés électriques et physiques de la BIA : formation de l'angle de phase

Source : Figure adaptée. Préparé par l'auteur, sur la base de Ganep (2015).

L'AF est l'angle formé par la déviation du courant électrique appliqué au corps, créé lorsque ce courant traverse les membranes cellulaires, dont une partie stocke de l'énergie, agissant comme des condensateurs. Cela crée un changement de phase, générant géométriquement la transformation angulaire de la capacité ou ce que l'on appelle l'AF (BARBOSA-SILVA, 2003 ; BARBOSA-SILVA *et al.*, 2005a).

L'AF peut être obtenue à l'aide de l'équation suivante : AF= arc tangent Xc/R x 180°/ π où π pi= 3,1416 (BARBOSA-SILVA *et al.*, 2005a ; BARBOSA- SILVA *et al.*, 2008). Les variations de la réactance indiquent des altérations de l'intégrité cellulaire du patient ou des modifications de la perméabilité membranaire ou de la composition cellulaire. Plus les membranes sont intactes, plus le stockage d'énergie est important et, par conséquent, plus le PA formé est important (BARBOSA-SILVA *et al.*, 2005a ; KYLE et *al.*, 2012).

La FA peut varier de zéro degré (système sans membranes cellulaires, résistif) à quatre-vingt-dix degrés (système sans fluides, uniquement capacitif). Les individus sains ont des valeurs moyennes de PA comprises entre 4 et 15 degrés. La variation du PA dépend de l'âge et du sexe de l'individu (BARBOSA-SILVA, 2008), de la cellularité des tissus, de l'hydratation des tissus et de la perméabilité des membranes, qui peuvent être modifiées par le processus pathologique lui-même (BARBOSA-SILVA, 2005 ; SILVA : CARUSO ; MARTINI, 2007 ; BARBOSA-SILVA *et al.*, 2008 ; MOTTA et *al.*, 2015).

Par définition, l'AP est positivement associé à la réactance et négativement associé à la résistance (MALECKA-MASSALSKA *et al.*, 2015). Un AF plus faible indique la mort cellulaire ou un déclin de l'intégrité cellulaire des individus, tandis que des angles de phase élevés indiquent une plus grande quantité de membranes cellulaires intactes (SELBERG *et al.*, 2002).

En outre, l'AP est également associée à une réduction de la masse cellulaire corporelle, reflétant des perturbations dans les propriétés électriques des tissus normaux ou affectés, et le niveau d'hydratation corporelle, qui change dans différentes maladies (BARBOSA-SILVA., 2008 ; KYLE *et al.*, 2004a ; EICKEMBERG *et al.*, 2011 ; BERBIGIER et *al.*, 2013 ; LLAMES *et al., 2013*). Selon BARBOSA-SILVA (2008), la malnutrition pourrait être détectée plus tôt par des changements dans la membrane cellulaire et le déséquilibre des fluides corporels.

Les études de la littérature (BARBOSA-SILVA et *al.*, 2003 ; NORMAN et *al.*, 2006 ; BARBOSA-SILVA *et al.*, 2008 ; PAIVA *et al.*, 2011 ; BERBIGIER *et al.*, 2013 ; PAIXÃO ; GONZALEZ, 2015) indiquent que l'AP semble être un marqueur de l'état nutritionnel des patients hospitalisés.

Selberg *et al.* (2002) ont évalué l'AP dans un groupe hétérogène de 1035 patients hospitalisés (dont 589 hommes) et la valeur moyenne de l'AP trouvée était de 4,9°. Cette valeur était significativement inférieure à celle observée chez les individus sains (4,9° *vs.* 6,6° ; $p<0,001$). Gupta *et al.* (2008) ont évalué la relation entre l'AP et l'état nutritionnel, tel que diagnostiqué par l'AGS, chez des patients atteints d'un cancer colorectal avancé. Les résultats ont montré que chez les patients bien nourris, l'AP moyen était significativement plus élevé (6,12°) que chez ceux qui étaient mal nourris (5,18°). Les auteurs concluent que l'AP est un indicateur nutritionnel chez les patients diagnostiqués avec un cancer colorectal, mais signalent que des recherches supplémentaires sont nécessaires pour clarifier le point de coupure idéal afin d'être incorporé pour une meilleure évaluation nutritionnelle.

Dans une étude plus récente portant sur des patients cancéreux en pré-radiothérapie, Motta *et al.* (2015) ont montré que le seuil d'AP de 5,2 degrés ou de 5,4 degrés était approprié pour évaluer l'état nutritionnel par rapport à l'IMC et à l'AGS, respectivement.

L'AP a également été rapporté dans la littérature comme un indicateur de bon pronostic en ce qui concerne la progression de la maladie, l'incidence des complications postopératoires et la durée du séjour à l'hôpital (NORMAN *et al.*, 2010 ; HUI *et al.*, 2014), ainsi qu'un indicateur de survie chez les patients atteints de cancer colorectal (Gupta et *al.* 2008 ; cancer du pancréas (GUPTA et *al.*, 2004b), et chez les patients diagnostiqués avec un cancer du poumon (TOSO *et al.*, 2000*)*. Ainsi, de faibles valeurs d'AP sont associées à la progression de la maladie et à des résultats cliniques négatifs (NORMAN *et al.*, 2010).

Gupta *et al.* (2008) ont évalué le rôle pronostique de l'AP chez des patients atteints d'un cancer colorectal avancé. Les auteurs ont observé que les patients avec une

FA < 5,7° avaient une survie moyenne plus faible (IC 95 % : 4,8-12,4 mois ; n=26), par rapport aux patients avec une FA > 5,57°, qui avaient une survie moyenne plus élevée (IC 95 % : 21,9-58,8 mois ; n=26), (p<0,0001). Dans une autre étude réalisée par le groupe avec 58 patients diagnostiqués avec un cancer du pancréas, il a été observé que les patients avec des valeurs de PA <5° avaient une durée de survie moyenne de 6,3 mois, tandis que les patients avec PA >5° avaient une survie supérieure (10,2 mois) ; (p<0,02). Ces résultats suggèrent que le PA est un indicateur pronostique chez les patients atteints d'un cancer du pancréas avancé. Cependant, d'autres recherches sont nécessaires avec un plus grand nombre de participants et dans différentes pathologies afin d'établir la valeur réelle de ce marqueur (GUPTA *et al.,* 2004a).

L'un des avantages de l'utilisation de la HF est qu'elle est indépendante des équations de régression et du poids de l'individu, et permet donc d'évaluer le patient à l'aide de mesures directes de la réactance et de la résistance. Ainsi, l'AP pourrait être utilisée chez les patients dont l'anthropométrie ne peut être mesurée ou dans des situations où il n'est pas approprié d'utiliser les équations insérées dans l'appareil BIA (NAGANO ; SUITA ; YAMANOUCHI, 2000 ; BARBOSA-SILVA *et al.,* 2003 ; GUPTA *et al.,* 2004a ; 2004b ; MIKA et *al.,* 2004 ; BARBOSA-SILVA *et al.,* 2005b). Il convient également de noter que la plupart des auteurs ont utilisé et généré des seuils d'AP en degrés au sein de la population étudiée. C'est l'un des inconvénients de cette méthode (BARBOSA-SILVA, 2005a ; 2008), car ces seuils ne sont pas nécessairement applicables à d'autres populations et dans des contextes cliniques différents (NORMAN *et al.*, 2010).

Il convient de noter que les études disponibles sur les patients atteints de cancer concernant la valeur prédictive des indicateurs de la fonction cellulaire dérivés des propriétés électriques et biologiques des tissus sont encore rares (BARBOSA-SILVA, 2003 ; NORMAN *et al.*, 2006 ; CASTANHO *et al.,* 2013). A ce jour, une trentaine de publications sont disponibles sur la base de données scientifique PubMed concernant l'AP à l'état nutritionnel, la bioimpédance électrique et le cancer. En outre, comme tout marqueur biologique, l'AP peut changer et être influencé par différents déterminants, tels que la population, l'âge et le sexe (BARBOSA-SILVA *et al.,* 2008), et l'utilisation de l'AFP (Standardised Phase Angle) est indiquée au lieu de sa mesure en degrés, c'est-à-dire sa valeur absolue (PAIVA *et al.*, 2011).

2.1.3 L'angle de phase normalisé (SPA)

L'angle de phase standardisé (SFA) fait référence aux valeurs moyennes de l'écart-type de l'angle de phase ajusté pour une population donnée, en fonction de l'âge et du sexe. Il est obtenu en soustrayant la valeur moyenne attendue de l'angle de phase pour une population donnée de la valeur mesurée de l'angle de phase et en la divisant par l'écart type (selon les valeurs de référence déterminées pour cette même population, en fonction du groupe d'âge et du sexe) (BARBOSA-SILVA *et al.*, 2005b ; BARBOSA-SILVA *et al.*, 2008).

Des valeurs de référence pour la standardisation de l'angle de phase ont été présentées pour les populations américaines, allemandes, suisses et brésiliennes en bonne santé, afin d'ajuster également les valeurs en fonction du sexe et du groupe d'âge de l'individu. Des valeurs d'AP plus faibles ont été observées chez les femmes, en raison de la plus faible masse musculaire présente, ainsi que chez les personnes âgées, probablement en raison de la réduction de la masse cellulaire corporelle résultant du processus de vieillissement lui-même (BARBOSA-SILVA *et al.*, 2005a ; BARBOSA-SILVA ; BARROS, 2005 ; BOSY- WESTPHAL *et al.,* 2006 ; BARBOSA-SILVA *et al.*, 2008 ; LLAMES et *al.*, 2013).

Dans une étude portant sur 399 patients en oncologie, Norman *et al.* (2010) ont constaté que 78 % des patients dont l'AFP était inférieure au cinquième percentile ont été diagnostiqués comme souffrant de malnutrition modérée ou sévère à l'aide de l'AGS, par rapport aux patients dont les valeurs d'AFP étaient plus élevées (39,1 % ; $p<0,05$).

Dans une autre étude, Paiva *et al.* (2011) ont constaté que l'AFP ajustée en fonction du sexe et de l'âge sur la base des valeurs de référence pour la population brésilienne, selon la classification de Barbosa-Silva *et al.* (2008), était un indicateur pronostique indépendant pour les complications cliniques et les taux de mortalité chez les patients cancéreux soumis à une chimiothérapie. Selon cette étude, le seuil correspondant à -1,65 représenterait le 5e percentile et pourrait être considéré comme la limite inférieure acceptée pour la population en bonne santé (PAIVA *et al.*, 2010). Ainsi, l'AFP pourrait être utilisée pour comparer des études portant sur des populations, des sexes et des âges différents.

Compte tenu du fait qu'il existe encore peu d'études dans la littérature scientifique, ces données semblent démontrer l'utilité de l'AFP en tant que marqueur plus objectif dans l'évaluation de l'état nutritionnel des patients hospitalisés, ainsi qu'en tant que bon prédicteur, capable de fournir de meilleures informations cliniques et pronostiques (BARBOSA-SILVA *et al.* 2008 ; PAIVA *et al.*, 2010).

2.1.4 Évaluation subjective globale (ESG)

Le Subjective Global Assessment (SGA), développé en 1982 et validé en 1987, est considéré comme un outil d'évaluation nutritionnelle essentiellement clinique (DETSKY *et al.,* 1987).

Elle est considérée comme une méthode d'évaluation simple, peu coûteuse, non invasive et facile à réaliser, qui peut être appliquée au chevet du patient. Cette méthode a été initialement développée et validée pour des patients chirurgicaux hospitalisés, mais elle est également bien acceptée dans différentes situations cliniques et est considérée comme un outil de référence en matière d'évaluation nutritionnelle (DETSKY *et al.*, 2008).

L'AGS permet de diagnostiquer l'état nutritionnel et de prédire le risque de complications et de mortalité (BARBOSA-SILVA ; BARROS, 2006). Compte tenu de ces faits, l'AGS a été reproduit avec succès au cours des dernières décennies dans la pratique clinique et en milieu hospitalier, ainsi que dans la recherche avec différents groupes de patients (WAITZBERG ; CAIAFFA ; CORREIA, 2001 ; BARBOSA-SILVA ; BARROS, 2006 ; DETSKY *et al.*, 2008).

L'évaluation est réalisée à l'aide d'un formulaire très complet qui inclut les principales caractéristiques telles que : la perte de poids au cours des six derniers mois et le PPP, les changements dans l'apport alimentaire du patient, la présence de symptômes gastro-intestinaux, les changements dans la capacité fonctionnelle, les aspects physiques et la demande métabolique de la maladie, cette dernière étant classée comme légère, modérée ou sévère (DETSKY *et al.,* 1987 ; BOTTONI, 2001). Les modifications de l'apport alimentaire sont évaluées en fonction des habitudes du patient et comprennent des aspects tels que le jeûne, le type de régime (liquide, pâteux et solide) en quantité réduite par rapport à la normale. Les symptômes gastro-intestinaux comprennent la présence de nausées, de vomissements et/ou de diarrhées au cours des deux dernières semaines. La capacité fonctionnelle est liée à l'aptitude à effectuer des activités physiques quotidiennes ou de routine, telles que les tâches ménagères ou même le travail. L'examen physique permet d'évaluer la perte de graisse sous-cutanée (région triceps et sous-scapulaire), la fonte musculaire, la présence d'œdèmes (généralement au niveau de la cheville et de la région sacrée) et d'ascites. Après l'évaluation, les patients sont classés comme nourris, soupçonnés d'être mal nourris, modérément mal nourris ou gravement mal nourris.

Selon Correia *et al.* (1998), la précision de la méthode dépend de facteurs importants tels que l'expérience clinique, la technique et, surtout, la formation adéquate des professionnels de la santé afin d'obtenir un bon accord entre les différents évaluateurs.

Cependant, l'AGS présente certaines limites, notamment celle de ne pas être considéré comme un paramètre de suivi pendant l'hospitalisation, car il n'a pas une sensibilité suffisante pour détecter de petits changements dans l'état nutritionnel des patients atteints de cancer (STEENSON ; VIVANTI ; ISENRING,2013).

Pour une utilisation spécifique chez les patients oncologiques, Ottery (1996) a adapté l'AGS aux principales altérations observées chez ces patients et l'a appelé l'évaluation globale subjective de l'état nutritionnel produite par le patient (PG-SGA). Cette évaluation a été validée et traduite en portugais (GONZALEZ., 2009). Il convient de souligner que cette évaluation diffère de l'original sur trois aspects principaux : une évaluation plus spécifique des symptômes d'impact nutritionnel présents chez les patients atteints de cancer, tels que la sécheresse de la bouche, la présence d'un goût métallique, entre autres. Le deuxième aspect est lié à la transformation du score en notes, ce qui permet une évaluation plus objective, avec des seuils qui permettent différents niveaux d'interventions nutritionnelles (INCA., 2013). Enfin, l'AGS-PPP a pour principal objectif de permettre une plus grande participation du patient lui-même, en apportant davantage de réponses à des questions telles que la perte de poids à différents moments et des symptômes plus spécifiques (GONZALEZ, 2009 ; INCA., 2013). Cependant, dans les hôpitaux publics, son utilisation et sa mise en œuvre sont très limitées en raison du niveau d'éducation et de la culture de la plupart des patients, ainsi que de la nécessité d'une formation adéquate pour les professionnels. Dans ce contexte, on peut constater que nous ne disposons toujours pas d'un outil unique, objectif, cohérent et standard pour le diagnostic nutritionnel des patients oncologiques en milieu hospitalier. Pour aggraver ce problème, il n'y a pas d'accord universel sur la définition et la validation des indicateurs d'évaluation nutritionnelle dans les hôpitaux (MALECKA-MASSALSKA *et al.*, 2015). Cependant, même si l'AGS et l'AGS-PPP présentent certaines limites liées à la subjectivité, il s'agit d'outils validés qui sont encore largement utilisés et indiqués pour prédire une réduction de la qualité de vie de ces patients, généralement associée à une méthode d'évaluation nutritionnelle, telle que l'anthropométrie.

2.1.5 Anthropométrie

L'anthropométrie est utilisée pour mesurer le poids corporel, la circonférence et l'épaisseur du pli cutané. Elle est considérée comme une méthode simple et peu coûteuse (ROCHE ; MARTORELL, 1988 ; LOHMAN, 1992 ; CALIXTO-LIMA, GONZALEZ, 2013).

Le poids corporel exprime l'importance de la masse ou du volume du corps, c'est-à-dire qu'il représente la somme de toutes les composantes du corps (eau, graisse, os et muscles). Cependant, le poids doit être utilisé et interprété avec prudence, surtout lorsque l'individu présente des altérations, telles que la rétention d'eau (œdème ou ascite) et des signes de déshydratation. Il n'est donc pas indiqué comme mesure unique et isolée pour évaluer la nutrition des patients hospitalisés (DUERKSEN *et al.*, 2000 ; DEURENBERG, 2003).

Le changement de poids involontaire est une information importante pour évaluer la gravité des problèmes de santé de ces personnes, car la perte de poids est fortement corrélée à la mortalité (KYLE *et al.*, 2004b). Une perte de poids supérieure à 10 % du poids habituel du patient est liée à des altérations du système immunitaire et à un risque accru de complications (KYLE *et al.*, 2004b). Le rapport entre le poids et la taille du patient détermine son indice de masse corporelle (IMC). Selon (DEWYS *et al.,* 1980), on sait depuis longtemps que la perte de poids est un phénomène courant chez les patients atteints de cancer au moment du diagnostic initial. La perte de poids involontaire est généralement associée à une mauvaise qualité de vie, à une mauvaise réponse au traitement et à un taux de mortalité élevé (VIGANO *et al.,* 2000).

L'IMC est basé sur la relation entre le poids actuel ou estimé et la taille, établissant le poids corporel par taille au carré en mètres (kg/taille x taille). Des valeurs comprises entre 18,5 kg/m^2 et 24,9 kg/m^2 sont considérées comme normales pour des adultes en bonne santé (OMS, 1997). Selon l'OMS, l'IMC est l'une des mesures les plus pratiques pour évaluer les taux de malnutrition et d'obésité dans de larges populations. Cependant, la principale limite de cet indice est qu'il ne distingue pas la masse musculaire et la masse grasse de la masse corporelle totale de l'individu. En d'autres termes, il n'est pas en mesure d'évaluer avec précision la masse maigre ou le tissu adipeux, ni de les différencier. Compte tenu de ce fait, on peut se demander s'il convient de l'utiliser pour l'évaluation nutritionnelle en milieu hospitalier (CALIXTO-LIMA ; GONZALEZ, 2013). De plus, son interprétation dans des situations où les patients sont hyperhydratés, présentent des signes de déshydratation, sont gravement malades ou alités, doit se faire avec une grande prudence et, dans la plupart des cas, l'utilisation de l'IMC est même contre-indiquée, afin de ne pas classer à tort l'état nutritionnel du patient (KYLE *et al.*, 2004b).

La mesure de la circonférence du bras (CA) représente la somme des zones constituées de tissus osseux, graisseux et musculaires dans le bras. Cette mesure est capable de renseigner sur les changements de masse des individus, mais si elle est utilisée isolément, la CA n'est pas capable de discerner si la diminution est due à la masse musculaire ou à la masse grasse (LOHMAN ; ROCHE ; MARTORELL, 1988;HEYMSFIELD *et al.*,1993).

L'évaluation du pli cutané est une méthode pratique, simple et peu coûteuse, réalisée à l'aide d'un appareil appelé plicomètre. Les plis cutanés sont couramment utilisés dans la pratique clinique pour évaluer le pourcentage de graisse corporelle. L'estimation de la graisse corporelle se justifie par le fait qu'environ la moitié de la teneur totale en graisse de l'organisme se trouve dans le tissu sous-cutané (LOHMAN, 1992 ; CALIXTO-LIMA ; GONZALEZ, 2013). La plupart des protocoles de détermination de la graisse corporelle par les plis cutanés utilisent entre deux et neuf sites de mesure, en fonction de l'environnement utilisé et du profil des individus évalués (SIRI, 1961 ; LOHMAN, 1992 ; MARFELL-JANES *et al.*, 2006).

Le pli cutané triceps (PCT) est mesuré sur la partie supérieure du bras, à mi-chemin entre l'acromion et l'olécrane. Il est considéré comme le pli le plus important dans la pratique clinique pour classer l'état nutritionnel d'un patient, car c'est la région la plus représentative de la réserve de graisse sous-cutanée du corps, c'est-à-dire qu'elle est capable de mesurer l'épuisement de la graisse existante (LOHMAN, 1992 ; CALIXTO-LIMA ; GONZALEZ, 2013).

La surface musculaire du bras (AMB) peut être calculée à partir de la mesure du CB et du DCT (HEYMSFIELD *et al.*, 1993 ; LOHMAN ; ROCHE ; MARTORELL, 1988).

L'AMB est un paramètre capable d'évaluer la réserve de tissu musculaire, de corriger la zone osseuse et de se rapporter plus adéquatement aux changements dans le tissu musculaire, en mesurant le déficit existant. Il est calculé à l'aide de formules mathématiques entre le rapport des mesures BC et TSD (LOHMAN, 1998 ; WAITZBERG, 2004 ; ACUNA ; CRUZ, 2004 ; MUSSOI, 2014).

L'utilisation de ces paramètres dans l'évaluation nutritionnelle présente certaines limites, telles que le manque de valeurs de référence pour certaines populations, les limites liées aux types et à l'étalonnage des instruments utilisés, ainsi qu'à l'état d'hydratation corporelle des personnes hospitalisées, qui est en constante évolution. En outre, des altérations peuvent survenir en raison des différences observées par rapport à l'évaluateur, qui peut commettre des erreurs lors de la mesure s'il n'est pas bien adapté et formé (LOHMAN, 1992 ; RECH, *et al.*, 2010). L'anthropométrie ne doit donc pas être utilisée comme un paramètre isolé dans l'évaluation nutritionnelle des patients hospitalisés.

2.1.6 Dynamométrie manuelle

La dynamométrie évalue la force de la poignée de la main, qui est une mesure de la force musculaire (SCHLUSSEL ; ANJOS ; KAC, 2008). Pour mesurer la force musculaire volontaire, un test simple est effectué à l'aide d'un appareil appelé dynamomètre, dans lequel la capacité et la fonction du muscle squelettique sont estimées à l'aide de la force de préhension de la main. Bien que cette méthode ne soit pas encore très répandue dans les services publics et qu'elle coûte relativement plus cher que les paramètres anthropométriques habituels, elle est considérée comme bon marché, pratique et rapide, car elle peut être réalisée par tout professionnel de la santé qualifié au chevet du patient (WEBB *et al.*, 1989 ; MARTINS, 2008 ; CRUZ-JENTOFT *et al.*, 2010).

La dynamométrie manuelle peut être considérée comme un outil indirect d'évaluation de l'état nutritionnel car l'activité musculaire est liée au fonctionnement énergétique cellulaire et la fonction des muscles squelettiques peut être rapidement altérée en présence de malnutrition. Ainsi, avant que des changements anthropométriques ne se produisent, il existe des changements fonctionnels résultant de la maladie elle-même, tels qu'une diminution de la force musculaire (CORREIA, 2001 ; BUDZIARECK ; DUARTE ; BARBOSA-SILVA *et al.*, 2008 ; PASTORES ; OEHLSCHALAEGER ; GONZALEZ, 2013).

Normam *et al.* (2005) ont évalué 287 personnes hospitalisées et ont observé que les personnes souffrant de malnutrition selon la classification de l'IMC avaient une force musculaire plus faible que les patients eutrophes. Dans une autre étude portant sur 189 patients atteints de cancer, Norman *et al.* (2010) ont constaté que la présence de malnutrition était un facteur de risque indépendant de diminution de la force musculaire et d'altération de l'état fonctionnel.

Limberger *et al.* (2014), dans une étude plus récente, ont évalué 23 patients atteints de cancer. Les résultats ont montré une association entre la force de préhension de la main déterminée par dynamométrie et l'état nutritionnel, selon la classification AGS-PPP. Ces résultats montrent que la malnutrition est un facteur important contribuant à la réduction de la fonction musculaire.

Cependant, il existe certaines limites à l'utilisation de la dynamométrie par rapport à l'évaluation nutritionnelle traditionnelle des patients hospitalisés. Le manque d'équipement dû aux coûts réduits et à la disponibilité des fonds dans les hôpitaux publics, ainsi que le manque d'expérience des professionnels qualifiés avec la technique appropriée, pourraient rendre son utilisation difficile dans cet environnement (SCHLUSSEL ; ANJOS ; KAC, 2008). En outre, aucun seuil global unique n'a été décrit. De nombreuses valeurs de référence disponibles dans la littérature scientifique ont été élaborées pour des adultes en bonne santé (SCHLUSSEL ; ANJOS ; KAC, 2008 ; BUDZIARECK ; DUARTE ; BARBOSA-SILVA, 2008). L'étude de Budziareck, Duarte et Barbosa-Silva (2008), menée auprès de 300 adultes en bonne santé âgés de 18 à 90 ans, des deux sexes, a établi des seuils pour la dynamométrie manuelle, dans lesquels les valeurs classées en dessous du 5e percentile de référence pour la population ont été considérées comme une diminution de la force musculaire.

Chen *et al.* (2011) ont appliqué les valeurs seuils de la dynamométrie manuelle à des personnes diagnostiquées avec un cancer de l'œsophage (54 hommes et 7 femmes), d'un âge moyen de 60,7 ans, pour lesquelles la diminution de la force musculaire était définie comme une force de préhension inférieure à 25 kg. Les auteurs ont conclu que les patients présentant une diminution de la force de préhension courent un plus grand risque de complications et que le test de dynamométrie est peu coûteux, rapide et a un pouvoir prédictif élevé, et qu'il peut être inclus dans l'évaluation préopératoire de routine des patients atteints de cancer.

2.2 Cancer et malnutrition

Le cancer est le terme utilisé pour classifier une variété de maladies malignes caractérisées par la croissance anormale de cellules (néoplasmes). Il est considéré comme une maladie chronique, non transmissible et multifactorielle qui provoque des mutations dans l'organisme, telles qu'une croissance cellulaire incontrôlée et désorganisée, des changements dans les expressions génétiques associés à une dérégulation métabolique et à un état inflammatoire (MORIN *et al.*, 2008 ; KRAWCZYK *et al.*, 2014). Ces changements entraînent un manque de contrôle dans le processus de mort cellulaire programmée (apoptose) et de division cellulaire (mitose), qui peut se propager dans tout le corps à partir du foyer primaire, par les voies lymphatiques ou sanguines, provoquant des métastases (KRAWCZYK *et al.*, 2014 ; INCA, 2015a).

Le cancer est considéré comme la deuxième cause de décès dans le monde (INCA, 2015b). L'estimation pour 2016, qui est également valable pour 2017, montre qu'il y aura environ 596 000 nouveaux cas de cancer au Brésil. Chez les hommes, on s'attend à 295 200 000 cas et chez les femmes, à 300 800 000 cas, ce qui renforce l'ampleur du problème (INCA, 2015b).

Les taux d'incidence (pour 100 000 habitants) estimés pour 2016 pour les types de cancer les plus fréquents dans le pays montrent que 16,84 % des hommes souffrent d'un cancer du côlon et du rectum et 13,04 % d'un cancer de l'estomac, les taux de prévalence les plus élevés étant observés dans le sud-est et le sud du Brésil,

respectivement (INCA, 2016). En ce qui concerne la localisation de la tumeur chez les femmes, les données montrent que 17,10 % des cas de cancer du côlon et du rectum et 7,37 % des cas de cancer de l'estomac se produisent, la prévalence la plus élevée étant observée dans la région sud du pays.

Il convient de noter que la localisation de la tumeur a un impact direct sur l'évolution du patient. La présence de tumeurs dans le tractus gastro-intestinal et les organes annexes tels que le foie et les voies biliaires peut entraîner une obstruction ou une altération de l'absorption des nutriments, ce qui se traduit par une perte de poids importante et une malnutrition (VICENTE *et al.*, 2013).

La malnutrition est une manifestation fréquente et multifactorielle chez les patients atteints de cancer et est considérée comme l'un des principaux facteurs de morbidité et de mortalité, indépendamment du type et de la localisation de la tumeur (MALECKA-MASSALSKA *et al.*, 2015).

Environ 20 à 62 % des patients cancéreux hospitalisés présentent un risque de malnutrition (BRUUN *et al.*, 1999 ; DUCHINI, *et al ;* 2010 ; DUVAL *et al.*, 2010 ; BADIA-TAHULL *et al.*, 2014). Dans une étude récente, Fernandéz *et al.* (2014) ont évalué l'état nutritionnel de 201 patients admis dans un hôpital universitaire et ont constaté que 50,2 % d'entre eux présentaient un risque nutritionnel et que 11,9 % étaient classés comme malnutris par l'AGS. La prévalence la plus élevée de la malnutrition a été observée dans le secteur de l'oncologie (80,0 %). Selon les données de l'enquête brésilienne sur la nutrition oncologique (INCA, 2013), la prévalence de la malnutrition chez les patients cancéreux évaluée par l'AGS-PPP est également élevée, puisqu'environ 45,1 % des patients ont été classés avec un certain degré de malnutrition à l'aide de ce paramètre.

La malnutrition est également associée à des séjours hospitaliers plus longs et à une plus grande probabilité de réadmission, ce qui a un effet économique négatif avec des coûts plus élevés (WAITZBERG ; CAIAFFA ; CORREIA, 2001 ; MARTÍNEZ-OLMOS *et al.*, 2005 ; CALAZANS *et al.*, 2015). Un mauvais état nutritionnel a également un impact sur la mortalité : environ 20 % des patients atteints de cancer meurent principalement à cause de la malnutrition (BARBOSA-SILVA *et al.*, 2003 ; PAIVA *et al.*, 2010 ; JOSEP-ARGILÉS *et al.*, 2014).

Différents facteurs sont impliqués dans le développement de la malnutrition chez les patients atteints de cancer. En raison de la pathologie sous-jacente, ces personnes présentent des altérations physiologiques, fonctionnelles et métaboliques causées par la présence de la tumeur elle-même, ainsi qu'une réduction de l'apport alimentaire et une augmentation des besoins énergétiques dues à la présence de la masse tumorale elle-même, ainsi que les effets secondaires du traitement qui se répercutent sur les altérations de l'état nutritionnel, avec des risques accrus de complications post-opératoires et de résultats cliniques défavorables (ALLISON..., 2000 ; RAVASCO *et al.*, 2005 ; SHANG *et al.*, 2006 ; ISENRING, 2007 ; COSTA, 2012 ; LUCAS ; FAYH, 2012). En outre, les facteurs psychologiques peuvent interférer avec la qualité de vie de ces patients et avoir un impact négatif sur l'appétit et la prise alimentaire (FERREIRA ; SCARPA ; SILVA, 2008).

Les principales altérations métaboliques causées par la présence de la tumeur sont liées à des changements dans le métabolisme des glucides, qui comprennent une diminution de la tolérance au glucose en raison de la résistance des tissus périphériques à l'action de l'insuline et des changements dans la sensibilité des cellules bêta du pancréas à la libération d'insuline (BOZZETTI *et al.*, 2001 ; EHRMANN-JÓSKO *et al.*, 2006 ; FAROOKI ; SCHNEIDER, 2007 ; GIBNEY *et al.*, 2007). Le métabolisme hépatique du glucose peut également être modifié, en raison d'une augmentation du taux de production hépatique de glucose due à une augmentation de la gluconéogenèse à partir de divers précurseurs tels que le lactate, l'alanine et le glycérol (BOZZETTI *et al.*, 2001).

Ces patients présentent également des altérations du métabolisme des lipides et des protéines. Il y a une augmentation de la lipolyse, avec une réduction concomitante de la synthèse des acides gras due à des altérations enzymatiques telles que la lipoprotéine lipase. On observe également la libération de facteurs tumoraux lipolytiques (BOZZETTI *et al.*, 2001 ; CERNE *et al.*, 2007) et une diminution de la synthèse des protéines musculaires avec une perte substantielle de muscle squelettique. Ces changements sont stimulés par la production et la libération de médiateurs inflammatoires, tels que : le facteur de nécrose tumorale alpha (TNF ; cytokine impliquée dans la prolifération du cancer), les interleukines (glycoprotéines produites par les cellules inflammatoires en réponse au stress), en particulier l'interleukine-1 bêta (IL-1) et l'interleukine-6 (IL-6), ainsi que le facteur d'induction de la protéolyse (PIF). La sécrétion excessive et prolongée de ces cytokines entraîne des effets indésirables liés à l'anorexie, par exemple, et est également associée à la progression des tumeurs et à la dégradation des protéines musculaires, avec pour conséquence une perte de poids (BOZZETTI *et al.*, 1992 ; JANKOWSKA ; KOSACKA, 2003, WAITZBERG *et al.*, 2004 ; JATOI *et al.*, 2006 ; MELSTROM et *al.*, 2007). En outre, d'autres facteurs sont également associés à la malnutrition chez ces patients, tels que la localisation de la tumeur et le stade de la maladie. En ce sens, les patients atteints d'un cancer avancé ont tendance à avoir un moins bon état nutritionnel (LIMA ; MAIO, 2012).

Il est important de noter qu'il existe différentes méthodes de traitement du cancer, telles que la chirurgie, la chimiothérapie, la radiothérapie ou la greffe de moelle osseuse. Le choix de la méthode dépendra de la localisation de la masse de cellules tumorales et de l'approche médecin-patient, afin de contrôler les symptômes qui peuvent interférer avec la qualité et la survie du patient (RICHTER *et al.*, 2012 ; INCA, 2015c). La chirurgie, considérée comme l'une des plus anciennes thérapies, reste un pilier et l'une des méthodes les plus efficaces pour traiter une variété de néoplasmes (CUNNINGHAM *et al.*, 2007 ; HOFF *et al.*, 2013).

Les patients oncologiques ont donc besoin d'un diagnostic et d'un suivi appropriés de leur état nutritionnel. L'évaluation nutritionnelle doit être effectuée au début et tout au long du traitement afin d'identifier les patients à risque nutritionnel ou dénutris, de manière à commencer la thérapie nutritionnelle plus tôt et à minimiser, voire éviter, les résultats cliniques défavorables résultant de la pathologie elle-même ou du processus chirurgical.

2.3 Résultats cliniques et hyperglycémie en milieu hospitalier

Les patients hospitalisés après un diagnostic de cancer subissent diverses conséquences liées à la pathologie elle-même et aux changements de l'état nutritionnel. Il s'agit notamment de l'augmentation de l'incidence des complications, de la durée du séjour à l'hôpital et du décès (DELGADO-RODRÍGUEZ *et al.*, 2002 ; PAN *et al.*, 2013).

Selon les données de l'enquête brésilienne sur l'évaluation nutritionnelle des hôpitaux (INCA, 2013), l'incidence des complications et le taux de mortalité étaient respectivement supérieurs de 11 % et de 7,7 % chez les patients diagnostiqués comme souffrant de malnutrition par rapport aux patients bien nourris selon la classification AGS (WAITZBERG *et al.*, 2001). D'autres études corroborent ces résultats. Braunschweig, Gomez et Sheean (2000) et Álvarez-Hernández *et al.* (2012) ont observé que, chez les patients hospitalisés, la malnutrition est directement liée à la durée du séjour, à la réadmission à l'hôpital et à la mortalité. Dans l'étude de Chen *et al.* (2011), parmi les 61 patients hospitalisés et évalués pour un traitement chirurgical du cancer de l'œsophage, la présence de complications a été observée, comme l'insuffisance respiratoire chez douze patients, la pneumonie chez sept individus et cinq patients avec une fistule. Il convient de noter que, dans cette étude, la diminution de la force de préhension évaluée était également associée de manière significative ($p<0,05$) au taux de mortalité dans la période post-chirurgicale.

L'hyperglycémie est une autre conséquence fréquente chez les patients hospitalisés, qu'ils aient ou non un diagnostic de diabète. Il est important d'évaluer ce paramètre pendant l'hospitalisation, car il peut entraîner des changements dans divers organes et systèmes, tels que des changements cardiovasculaires et cérébrovasculaires, une insuffisance rénale aiguë, une septicémie et un dysfonctionnement des organes, ainsi qu'une augmentation du taux de mortalité (GRASSANI, 2011). En outre, les effets délétères de l'hyperglycémie hospitalière peuvent affecter et compromettre l'immunité et la guérison des patients dans la période postopératoire, et contribuer à l'augmentation du stress oxydatif, entre autres résultats qui conduisent à une augmentation de diverses complications (BONAMICHI *et al.*, 2015).

Différents mécanismes ont été proposés pour expliquer comment l'hyperglycémie peut nuire aux patients hospitalisés. Les complications sont principalement dues à l'apparition d'infections, favorisant les états septiques chez ces patients, aux perturbations hydroélectrolytiques évidentes, à la dysfonction endothéliale due à l'intensification de l'inflammation, aux phénomènes thrombotiques secondaires, à la génération de radicaux superoxydes et à la libération de cytokines inflammatoires (GRASSANI, 2011). Il a également été démontré que l'hyperglycémie est un marqueur de mauvais pronostic pour les patients gravement malades, tant sur le plan clinique que chirurgical (RODRIGUES, 2008).

Selon Baldasso *et al.* (2006), l'hyperglycémie peut être déclenchée par différentes raisons très typiques de la routine hospitalière et les principales causes sont le stress métabolique, qui est probablement dû à une libération excessive d'hormones de stress endogènes telles que le glucagon et le cortisol, ainsi que la libération de cytokines inflammatoires en cas de sepsis ou de traumatisme chirurgical (GOMES *et al.*, 2014).

L'hyperglycémie influence aussi indirectement les cellules cancéreuses en augmentant les niveaux de cytokines inflammatoires (en particulier les interleukines telles que IL-1, IL-6) dans la circulation de l'insuline et, de plus, il y a des raisons de penser que l'hyperglycémie seule a un impact direct sur la prolifération des cellules cancéreuses, l'apoptose et les métastases. Une glycémie élevée active diverses voies de signalisation métabolique qui coopèrent pour contrôler le comportement des cellules cancéreuses telles que la prolifération, la migration, l'invasion et la récurrence (RYU ; PARK ; SCHERER, 2014).

Selon les directives de la Société brésilienne du diabète (SBD) (SOCIEDADE BRASILEIRA DE DIABETES, 2014), le contrôle de la glycémie, connu sous le nom de surveillance glycémique, peut être effectué à l'aide d'échantillons de sang prélevés sur différents sites, tels que des cathéters veineux, artériels ou capillaires. La mesure capillaire est considérée comme une procédure non invasive, utilisée en milieu hospitalier et en routine dans la pratique clinique, en raison de sa facilité d'accès et de la nécessité d'une formation simple pour les professionnels de la santé, ou même à domicile, par les patients eux-mêmes à l'aide d'un appareil appelé glucomètre ou également par le système CGMS (*Continuous Glucose Monitoring System*), qui lit les niveaux de glucose dans le sang en temps réel. Cependant, bien que ce dernier montre de manière plus complète les variations de la glycémie au cours de la journée du patient, on sait qu'en raison des coûts, ce système n'est pas largement utilisé ou disponible dans le secteur public et hospitalier, et qu'il est plus approprié d'utiliser un glucomètre pour mesurer la glycémie d'une manière plus pratique et efficace.

Indépendamment du diagnostic antérieur de diabète, la présence d'une hyperglycémie chez les patients hospitalisés et dans l'unité de soins intensifs (USI) est associée à des résultats cliniques défavorables qui peuvent refléter une plus grande gravité de la maladie sous-jacente. On sait que l'hyperglycémie en elle-même contribue à augmenter la gravité de toute maladie et provoque une glucotoxicité (GOMES *et al.*, 2014).

La glycotoxicité cellulaire peut être interprétée comme la présence d'une hyperglycémie chronique, qui peut avoir des effets délétères sur l'organisme du patient, en particulier sur la fonction des cellules bêta pancréatiques, présentes dans les îlots de Langerhans du pancréas. Elles sont responsables de la synthèse et de la sécrétion de l'hormone insuline, qui régule la glycémie (FORCINA ; ALMEIDA ; RIBEIRO JR, 2008). La glycotoxicité peut provoquer des effets délétères au niveau cellulaire, déclenchés par l'hyperglycémie, ainsi que différentes conséquences, telles qu'une réduction de la tolérance au glucose et des changements dans la sensibilité des cellules bêta, en plus de leur réduction par apoptose (FORCINA ; ALMEIDA ; RIBEIRO-JR, 2008). Il en résulte un manque de contrôle de la glycémie qui, à long terme, peut être toxique pour l'organisme du patient hospitalisé. Cette situation se produit généralement en présence d'une glycémie très élevée (> 250 mg/dl) sans intervention thérapeutique ni soins préalables (RUBINO *et al.*, 2004 ; FORCINA ; ALMEIDA ; RIBEIRO JR, 2008). On sait également qu'une augmentation de la glycémie active diverses voies de signalisation qui coopèrent pour contrôler le comportement des cellules cancéreuses, telles que la prolifération, la migration, l'invasion et la récurrence (RYU ; PARK ; SCHERER, 2014) et que chez les patients cancéreux, en raison de la libération de facteurs tumoraux (PIF : proteolysis-inducing factor et LMF : lipid-mobilising factor) et de cytokines pro-inflammatoires (IL-1 et IL-6), des changements se produisent dans le métabolisme hépatique et glucidique, avec une augmentation significative de la gluconéogenèse et de la résistance à l'insuline (UMPIERREZ *et al.*, 2002 ; WAITZBERG *et al.*, 2004 ; GRASSANI., 2011). Par conséquent, les mesures de la glycémie sont également considérées comme un facteur pronostique important à évaluer, compte tenu de la possibilité de variabilité et de l'amplitude des oscillations qui existent dans l'environnement hospitalier et chez les patients atteints de cancer.

Compte tenu de ce qui précède, il est important d'évaluer la glycémie chez les patients atteints de cancer avant et après l'opération, afin de vérifier s'il y a des changements significatifs par rapport à la durée de l'hospitalisation, le moment où ces changements se produisent et s'il y a une corrélation avec l'angle de phase.

Il convient de noter qu'à ce jour, il s'agit de la première étude à évaluer l'association entre les valeurs de l'AFP et les mesures de la glycémie capillaire chez les patients en chirurgie oncologique, car il serait plausible d'étudier l'intégrité de la membrane cellulaire évaluée par l'AFP et sa relation possible avec la glycotoxicité cellulaire causée par la présence d'une hyperglycémie dans l'environnement hospitalier.

CHAPITRE 3

OBJECTIFS

3.1 Général

Évaluer l'association entre l'AFP et les variables de l'état nutritionnel préopératoire et les résultats cliniques chez les patients en chirurgie oncologique.

3.2 Spécifique

- Évaluer l'association entre l'état nutritionnel des patients en chirurgie oncologique et la localisation de la tumeur, l'âge et le sexe ;
- Évaluer la concordance entre l'AFP et les méthodes d'évaluation nutritionnelle utilisées à l'Institut de gastro-entérologie Alfa ;
- Évaluer la présence d'hyperglycémie en milieu hospitalier et son association supposée avec l'AFP à différents moments de l'hospitalisation.

CHAPITRE 4

MÉTHODES

4.1 Conception de l'étude et population

Il s'agit d'une étude prospective d'observation menée à l'Institut Alfa de gastroentérologie de l'Hôpital das Clínicas de l'Université fédérale de Minas Gerais.

L'échantillon était composé de patients âgés de 18 ans ou plus, des deux sexes, diagnostiqués avec un cancer et admis dans l'unité pour une intervention chirurgicale. Tous les patients ont signé le formulaire de consentement libre et éclairé (FICF) (annexe A) préalablement approuvé par le comité d'éthique de la recherche de l'université fédérale de Minas Gerais (UFMG) CAEE 12279713.1.0000.5149.

Pour estimer l'échantillon total de participants (n=77), nous avons utilisé les critères proposés par Hulley *et al.* (2001) pour le test de comparaison des moyennes dépendantes, en considérant la moyenne et l'écart-type de l'AP (5,12±0,89) identifiés dans une étude avec des patients brésiliens atteints de cancer (PAIVA *et al.*, 2010). Comme recommandé dans la littérature, une magnitude d'association de 10 %, un niveau de signification de 5 % et une puissance de test de 80 % ont été adoptés. Une valeur de 20 % a également été considérée comme le pourcentage de perte de données possible (BROWNER ; CUMMINGS ; HULLEY, 2001). Un sous-échantillon a été utilisé pour la glycémie capillaire. Pour calculer ce sous-échantillon (n=38), nous avons considéré la proportion de 13,5% comme la valeur de l'hyperglycémie jusqu'aux 48 premiers jours d'hospitalisation, telle qu'identifiée dans les travaux de Lucas et Fayh (2012), en utilisant un échantillon de population finie de 77 individus, en fixant le seuil de signification à 5% (alpha ou erreur de type I) et l'erreur d'échantillonnage à 5%, selon les critères proposés par Hulley *et al.* (2001).

Les personnes présentant des limitations compromettant la collecte des données (séquelles neurologiques, dystrophie, altération de l'état de conscience, amputés, paralysés moteurs et porteurs de stimulateurs cardiaques), les femmes enceintes, les mères allaitantes et les personnes ayant refusé de signer le formulaire de consentement éclairé ont été exclues de l'étude.

Les patients ont été évalués à trois moments différents : A) vingt-quatre heures avant l'opération (PRE-OP) pour évaluer l'état nutritionnel et la glycémie capillaire ; B) entre le troisième et le cinquième jour postopératoire (3e et 5e jours postopératoires).

DPO) pour l'évaluation de la glycémie capillaire et C) à la sortie de l'hôpital, également pour l'évaluation de la glycémie capillaire.

4.2 Collecte de données

Les données ont été recueillies à l'aide d'un questionnaire structuré (annexe B) couvrant les points suivants : identification du patient, antécédents médicaux, évaluation nutritionnelle et résultats cliniques, comme décrit :

4.2.1 Identification du patient

Informations personnelles, telles que le numéro de dossier médical, le numéro de téléphone de contact, le sexe, l'âge, la date de naissance et la date d'hospitalisation.

4.2.2 **Antécédents médicaux**

Les dossiers médicaux des patients ont été utilisés pour recueillir des informations sur la localisation et le type de tumeur, l'âge au moment du diagnostic et les principales comorbidités associées.

4.2.3 Évaluation de l'état nutritionnel

L'état nutritionnel a été évalué à l'aide de l'analyse standardisée de l'angle de phase par bioimpédance, de l'AGS, d'indicateurs anthropométriques (pourcentage de perte de poids, CB, AMB, DCT) et de l'analyse de la force musculaire par dynamométrie.

4.2.3.1 Bioimpédance électrique (BIA)

L'analyse BIA a été réalisée à l'aide de l'appareil BIA Quantum X (RJL systems), qui utilise un courant de faible intensité (800 pA) et une fréquence de 50 kHz (RJL SYSTEM, 2007). .

Avant de commencer la procédure, le patient a reçu l'instruction d'enlever tout métal en contact avec la peau. Le patient a été placé en position couchée, les bras et les jambes séparés à un angle de 45°. Avant de placer les électrodes, les zones de contact ont été désinfectées avec de l'alcool. Les électrodes adhésives ont été placées à des endroits préalablement standardisés sur la surface dorsale du pied et de la main : une électrode distale à la base du majeur et une électrode proximale juste au-dessus de l'articulation de la cheville, entre les malléoles médiale et latérale, et une électrode proximale juste au-dessus de l'articulation du poignet, coïncidant avec l'apophyse styloïde (KYLE *et al.*, 2004a ; NORMAN *et al.*, 2010). Les valeurs de résistance, de réactance et d'angle de phase ont été obtenues à l'aide du programme *Body Composition,* tel que proposé par le fabricant de l'appareil.

L'angle de phase (AP) a été calculé en degrés à l'aide de la formule suivante : arc tangent du rapport Xc/R déjà entré dans l'appareil BIA ; il a ensuite été transformé en angle de phase standardisé. L'angle de phase standardisé (SFA) a été calculé à l'aide de l'équation suivante : SFA = PA mesuré - PA moyen (pour l'âge et le sexe) / écart-type de la population pour l'âge et le sexe (PAIVA *et al.,* 2010 ; BARBOSA-SILVA *et al.,* 2008). L'AP moyenne a été obtenue en utilisant les valeurs de référence pour le sexe et l'âge, comme proposé par Barbosa-Silva *et al.* (2005a) (TABLEAU 1). Ensuite, les valeurs d'AP ont été catégorisées comme étant à risque lorsqu'elles étaient inférieures à -1,65 (le point limite représentant le 5e percentile) et considérées comme la limite inférieure pour la population en bonne santé, ou non à risque lorsque les valeurs étaient supérieures à -1,65.

TABLEAU 1 - Valeurs de référence de l'angle de phase en fonction de l'âge et du sexe.

	Angle de phase			
Âge (années)	**Homme**		**Femme**	
	Moyenne	**Écart-type**	**Moyenne**	**Écart-type**
18 - 20	7,90	0,47	7,04	0,85
20 - 29	8,02	0,75	6,98	0,92
30 - 39	8,01	0,85	6,87	0,84
40 - 49	7,76	0,85	6,91	0,85
50 - 59	7,31	0,89	6,55	0,87
60 - 69	6,96	1,10	5,97	0,83
> 70	6,19	0,97	5,64	1,02

Source : Barbosa-Silva *et al.* (2005a).

4.2.3.2 Évaluation subjective globale (ESG)

La SGA a été réalisée uniquement en préopératoire, selon la méthode proposée par Detsky *et al.* (1987), en tenant compte de l'historique du poids et de l'alimentation du patient, des exigences métaboliques de la maladie et de l'examen physique. Ensuite, la classification finale de l'individu en bien nourri, soupçonné d'être mal nourri/modérément mal nourri ou sévèrement mal nourri a été déterminée. Les résultats de l'état nutritionnel ont été regroupés afin d'envisager les analyses d'intérêt de manière dichotomique en nourri (lorsque la classification du patient était bien nourri) et en malnutri (lorsque la classification du patient était malnutrition suspectée/modérément malnutri et sévèrement malnutri).

4.2.3.3 Évaluation anthropométrique

Le poids a été mesuré à l'aide d'une balance numérique portable Tanita Solar Scale®, d'une capacité maximale de 150 kilogrammes. Le patient a été invité à porter le moins de vêtements possible et à être pieds nus. Il a été placé au centre de l'équipement, en position verticale, les pieds joints et les bras étendus le long du corps (BRASIL, 2004).

Le pourcentage de perte de poids a été calculé selon l'équation suivante : %PPP = poids habituel du patient (au cours des six derniers mois) - poids actuel / poids habituel X 100. Cette variable a été dichotomisée, la perte de poids significative et sévère étant considérée comme égale ou supérieure à 10% de la variation de poids et en dessous de ce pourcentage étant caractérisée comme l'absence de perte de poids sévère (BLACKBURN ; BISTRIAN, 1977).

La circonférence brachiale (BC) a été mesurée à l'aide d'un mètre ruban inélastique avec une résolution de 0,1 centimètre (cm) et le pli cutané du triceps (TSF) à l'aide d'un adipomètre Lange®, avec une pression constante de 10g/mm^2 sur la surface de contact, une précision de 1mm et une échelle de 0-65mm. Le patient a été invité à fléchir son avant-bras droit à 90° vers sa poitrine et, à l'aide d'un mètre ruban, la mesure a été prise entre la pointe du processus acromial et le processus olécranien afin d'obtenir le point médian de la longueur du bras. Le tour de taille et le TCD ont été mesurés au point médian, le bras étant détendu et étendu le long du corps. Le TCD a été mesuré à l'arrière du bras, l'adipomètre étant placé à l'arrière du bras.

perpendiculaire au pli cutané. Pour de meilleurs critères de classification, la valeur enregistrée était la moyenne de trois mesures consécutives.

Sur la base de ces mesures, la surface musculaire du bras (AMB) a été calculée à l'aide des formules proposées par Heymsfield *et al.* (1982). Les résultats obtenus pour le DCT, le CB et l'AMB ont été classés en fonction de l'âge et du sexe à l'aide des percentiles proposés par Frisancho (1990). Par la suite, les valeurs ont été dichotomisées en déficit nutritionnel lorsqu'elles étaient classées en dessous du cinquième percentile, tandis que les autres étaient classées comme n'ayant pas de déficit nutritionnel.

4.2.3.4 Évaluation de la force musculaire

La force musculaire a été mesurée à l'aide d'un dynamomètre Jamar Plus+®. Pendant l'évaluation, les participants ont reçu pour instruction de rester assis sur un banc ou un lit réglable en fonction de la taille, avec l'épaule en position neutre, les coudes de préférence à 90° et le poignet en position neutre (intermédiaire entre la pronation et la supination) avec le bras soutenu (JAMAR, 2000).

Trois mesures ont été prises sur la main dominante du patient, chaque contraction durant trois secondes et une période de repos d'une minute entre chaque mesure. La valeur moyenne des mesures a été retenue. Les valeurs obtenues ont été classées en fonction de l'âge et du sexe. Les valeurs inférieures au cinquième percentile (P5) ont été classées comme une diminution de la force musculaire selon Budziareck, Duarte et Barbosa-Silva (2008). Les valeurs de référence pour la classification de la dynamométrie utilisées dans cette étude sont indiquées dans le tableau 2.

TABLEAU 2 - Valeurs de référence pour la dynamométrie (Kg) en fonction du sexe et de l'âge, pour la main dominante.

AGE	MAN		FEMME	
	P5	P95	P5	P95
18-30 ans	30	57	16	30
31-59 ans	27	55	16	35
> 60 ans	18	44	11	29

Source : Budziareck, Duarte et Barbosa-Silva (2008).

4.2.4 Résultats cliniques

4.2.4.1 Complications infectieuses et non infectieuses

Les complications infectieuses et non infectieuses survenues au cours de la période postopératoire ont été recueillies quotidiennement dans les dossiers médicaux des patients et par le biais de rapports au chevet des patients. Les complications possibles décrites par l'*American College of Surgeons* (2000) sont énumérées dans le tableau 1. Les complications suivantes ont été considérées comme des complications infectieuses : infection de la plaie, pneumonie, bactériémie, infection des voies urinaires et septicémie. Les complications non infectieuses étaient les suivantes : fistule, déhiscence de la plaie chirurgicale, hémorragie, défaillance des voies respiratoires, défaillance cardiocirculatoire et insuffisance rénale.

TABLEAU 1 - Définitions des différents types de complications susceptibles d'être observées chez les patients en phase postopératoire

Complications	Définitions
Pneumonie	Signes cliniques ou culture positive de l'aspirat trachéal, du sang et/ou

	signes radiographiques
Infection des voies urinaires	Symptômes cliniques ou bactériémie (>100 000 unités formatrices de colonies/mL)
Bactériémie	Culture sanguine positive
Septicémie	Infection suspectée ou confirmée et fièvre >38°C ou hypotension (pression systolique < 90mmHg) ou oligurie (< 20 mL/h)
Déhiscence de la plaie chirurgicale	Ouverture > 3cm
Hémorragie	Nécessité d'une transfusion sanguine (> 2 UI)
Insuffisance respiratoire	Présence d'une dyspnée et d'une fréquence respiratoire > 35 respirations par minute
Insuffisance cardio-circulatoire	Pression artérielle instable nécessitant l'administration de fluides ou de médicaments inotropes
Insuffisance rénale	Besoin d'hémodialyse
Fistule	Déhiscence des anastomoses

Source : Collège américain des chirurgiens (2000).

4.2.4.2 Hyperglycémie - Glycémie capillaire

La glycémie a été obtenue en l'enregistrant dans le dossier médical ou, lorsque cette information n'était pas disponible, le sang a été prélevé en insérant une goutte de sang capillaire dans une bande de biocapteur jetable attachée au glucomètre (*NICE-SUGAR STUDY INVESTIGATORS et al.*, 2009) par l'équipe soignante ou le chercheur. Les mesures ont été prises après avoir calibré le moniteur conformément aux spécifications du fabricant. Le test a été effectué conformément aux directives du manuel d'utilisation du dispositif AccuChek Active® et aux précautions d'hygiène et d'asepsie proposées par les directives du SBD (SOCIEDADE BRASILEIRA DE DIABETES, 2014). La glycémie a été prélevée à deux moments différents, prédéfinis selon la routine de l'Institut Alfa de gastroentérologie de l'Hôpital das Clínicas de l'UFMG : à 6 heures du matin et à 18 heures (ce qui équivaut à un prélèvement de glycémie capillaire préprandiale et postprandiale), en utilisant la moyenne obtenue à partir de ces valeurs.

Les résultats obtenus ont été classés selon les critères proposés par l'*American Diabetes Association* (ADA, 2010), qui considère une limite de 140mg/dL comme une hyperglycémie en milieu hospitalier.

4.2.4.3 Durée du séjour à l'hôpital

La durée du séjour hospitalier a été obtenue en calculant le nombre de jours entre la date d'admission et la sortie. Les valeurs ont également été catégorisées selon la durée de séjour décrite dans la littérature (>16 jours) (BAPEN., 2003 ; RASLAN *et al.*, 2010) et présentées par médiane.

4.2.4.4 Taux de mortalité

La survenue des décès a été évaluée au cours de l'hospitalisation des patients, au moyen d'une enquête sur les dossiers médicaux ou lors des contrôles hebdomadaires des lits à l'Institut de médecine Alfa.
Gastroenterology, et le taux de mortalité est calculé à partir de ces données.

4.3 . Traitement et analyse des données

Les données ont été analysées à l'aide du *Statistical Package for the Social Sciences for Windows Student Version®* (SPSS), version 20.0. Les variables ont fait l'objet d'une analyse descriptive par le calcul des distributions de fréquence et des mesures de tendance centrale et de dispersion. Les variables ayant une distribution normale, vérifiée par le test de Kolmogorov-Smirnov, ont été présentées sous forme de moyennes (écart-type) tandis que les autres ont été présentées sous forme de médianes (25e-75e percentile-p).75

Pour vérifier l'association des variables de l'état nutritionnel avec le sexe, l'âge et le site tumoral, le test t de Student et le test chi-carré/exact de Fisher ont été utilisés pour comparer les moyennes et les proportions indépendantes, respectivement. Le test Anova pour les mesures répétées et le test de McNemar ont été appliqués pour comparer les moyennes et les proportions des variables relatives à l'état nutritionnel et au contrôle glycémique au stade préopératoire, en utilisant Bonferroni comme test *post-hoc*.

L'association de l'AFP avec les indicateurs anthropométriques et les résultats cliniques a été évaluée à l'aide d'une régression logistique, l'AFP catégorisée étant utilisée comme variable explicative dans tous les modèles. Dans les modèles de régression logistique, les variables dépendantes étaient les indicateurs anthropométriques et les résultats cliniques sous forme dichotomique. Dans ces modèles, le *rapport de cotes* (RC) a été utilisé comme mesure de l'effet, avec un intervalle de confiance à 95 % (IC à 95 %). Tous les modèles ont également été ajustés pour tenir compte des facteurs de confusion possibles (localisation de la tumeur et durée du séjour à l'hôpital). Le modèle de prédiction de la glycémie capillaire a également été ajusté en fonction de la présence d'un diabète.

La concordance entre le diagnostic de malnutrition a été évaluée en préopératoire à l'aide de l'AFP et des critères d'évaluation de l'état nutritionnel couramment utilisés dans la pratique de l'Institut Alfa : AGS, dynanométrie et AMB. Pour ce faire, la valeur kappa a été calculée entre les paires de définitions différentes. Le degré de concordance entre les définitions de la malnutrition a été évalué selon les catégories de valeur kappa suivantes : a) < 0,20 = très mauvais ; b) 0,21 à 0,40 = mauvais ; c) 0,41 à 0,60 = modéré ; d) 0,61 à 0,80 = bon ; e) > 0,80 = très bon (LANDIS ; KOCH, 1977).

Pour comparer les moyennes de glycémie capillaire entre les patients avec et sans risque nutritionnel, selon la catégorisation AFP, le test d'Ancova a été réalisé, ajusté sur la présence de diabète. Il est à noter que cette étude a présenté les moyennes ajustées générées par cette analyse. Le test de Mann-Whitney a été utilisé pour comparer les médianes des durées d'hospitalisation selon la classification AFP. Enfin, une régression de Cox a été utilisée, avec le décès comme variable dépendante et l'AFP dichotomisée comme variable explicative. Ce modèle a été ajusté pour le site tumoral. L'association significative entre les variables a été calculée à l'aide du Hazard Ratio (HR), qui prenait en compte la durée d'hospitalisation de chaque patient.

Le niveau de signification adopté pour toutes les analyses statistiques était de 5 % ($p<0,05$).

CHAPITRE 5

RÉSULTATS

5.1 Caractérisation de l'échantillon

5.1.1 Caractérisation générale

Entre septembre 2014 et octobre 2015, 164 patients hospitalisés pour un cancer étaient éligibles pour cette étude. Parmi eux, 28 n'ont pas eu leurs données collectées au moment de l'évaluation et 15 patients ont vu leur opération annulée ou reportée, soit un total de 121 patients inclus dans l'étude.

L'âge moyen des patients était de 58,8 ±12,5 ans, et la prévalence la plus élevée (52,9 %) était masculine. En ce qui concerne les principales comorbidités associées, 62 % et 20 % des patients souffraient respectivement d'hypertension et de diabète. Le délai moyen depuis le diagnostic du cancer était de 10 ±14,5 mois et les patients atteints de tumeurs du côlon et du rectum représentaient 47,9 % des cas.

L'état nutritionnel des patients en période préopératoire, selon les différents indicateurs d'état nutritionnel utilisés à l'Institut Alfa, est présenté dans le tableau 3. On observe que 28,1 % des patients sont à risque nutritionnel, selon la classification AFP, et que la prévalence de la malnutrition, selon l'AGS, est de 63,6 %. Il a été constaté que 45 % et 27 % des patients présentaient une carence nutritionnelle selon les classifications de la circonférence du bras (AC) et du pli cutané du triceps (TSF), respectivement. Plus de la moitié des patients (53,2 %) avaient des valeurs d'AMB inférieures au cinquième percentile et 16,5 % présentaient une diminution de la force musculaire évaluée par dynamométrie (TABLEAU 3).

TABLEAU 3 - Caractéristiques générales et état nutritionnel préopératoire des patients en chirurgie oncologique.

Variables	Total	
	N	%
Le sexe		
Homme	64	52,9
Groupe d'âge		
30-39 ans	10	8,3
40-49 ans	16	13,2
50-59 ans	42	34,7
60-69 ans	26	21,5
>70 ans	27	22,3
Localisation de la tumeur		
EED	33	27,3

CCP	15	12,4
COLOP	58	47,9
FVB	15	12,4
Angle de phase normalisé		
A risque (<-1,65)	34	28,1
Évaluation globale subjective		
Malnutrition	76	63,6
Tour de bras		
Déficit nutritionnel	54	45,0
Pli cutané tricipital		
Déficit nutritionnel	33	27,0
Zone musculaire du bras		
Déficit nutritionnel	64	53,2
Dynamométrie		
Diminution de la force musculaire	20	16,5

Acronymes : EED (estomac, intestin et duodénum) ; CCP (tête et cou) ; COLOP (colon et rectum) ; FVB (foie et voies biliaires).
Source : Données de recherche. Institut de gastroentérologie Alfa/HC/UFMG (n=121), Belo Horizonte, 2016.

5.2 Association entre l'appauvrissement de l'état nutritionnel et la localisation de la tumeur

Les résultats de l'association entre l'état nutritionnel préopératoire mesuré par différents indicateurs et l'AFP, en fonction de la localisation de la tumeur, sont présentés dans le tableau 4. La prévalence la plus élevée du risque nutritionnel a été observée, selon la classification AFP, chez les patients atteints de cancer FVB (66,7 %), par rapport à ceux diagnostiqués avec un cancer EED (24,3 %), CCP (13,4 %) et COLOP (24,1 %) ; (p=0,004). Les patients atteints de tumeurs du FVB (73,3 %) étaient également plus mal nourris selon différents paramètres, tels que la classification CB (p=0,001), par rapport aux patients atteints de tumeurs du côlon et du rectum (28,1 %), et présentaient un pourcentage plus élevé de diminution de la force musculaire (42,9 %) par rapport aux patients atteints de tumeurs de la tête et du cou (0,0 %). Il n'y avait pas de différence statistique entre les groupes lors de l'évaluation de l'AMB.

TABLEAU 4 - Appauvrissement de l'état nutritionnel diagnostiqué par différentes méthodes, en fonction de la localisation de la tumeur chez les patients de chirurgie oncologique.

Variable	**Site de la tumeur (%)**				**Valeur p***
	EED (N=33)	**CCP (N=15)**	**COLOP (N=58)**	**FVB (N=15)**	
Angle de phase standardisé avec risque	24,3[a]	13,4[a]	24,1[a]	66,7[b]	**0,004**
Évaluation subjective globale Malnutrition	60,6	60,0	67,2	60,0	0,890
Circonférence du bras en cas de déficit nutritionnel	63,6[a]	40,0[ab]	28,1[b]	73,3[a]	**0,001**
Pli cutané tricipital en cas de déficit nutritionnel	32,3	40,0	20,0	26,7	0,397
Zone musculaire du bras déficiente sur le plan nutritionnel	67,7[a]	40,0[a]	42,0[a]	73,3[a]	**0,034**

Dynamométrie Diminution de la force musculaire	12,1[ab]	0,0[a]	13,8[ab]	42,9[b]	**0,001**

Abréviations : EED (estomac, intestin et duodénum) ; CCP (tête et cou) ; COLOP (côlon et rectum) ; FVB (foie et voies biliaires). Valeurs exprimées en pourcentage.
*Test chi-carré/exact de Fisher pour la comparaison des proportions. Les valeurs en pourcentage ayant des lettres communes sur la même ligne sont statistiquement égales et la signification statistique est établie par la correction de Bonferroni (p>0,0083).
Source : Données de recherche. Institut de gastroentérologie Alfa/HC/UFMG (n=121), Belo Horizonte, 2016.

Dans cette étude, en comparant l'âge moyen entre les patients malnutris et bien nourris selon les différents indicateurs nutritionnels évalués, aucune différence significative n'a été observée (p>0,05). En ce qui concerne le sexe, une différence significative a été trouvée chez les hommes selon la classification CB (57,8 pour cent *vs.* 30,4 pour cent, p= 0,003) et AMB (72,6 pour cent *vs.* 28,6 pour cent, p< 0,001), par rapport aux femmes, sans différence pour les autres indicateurs (p<0,05).

5.3 Association entre l'AFP et les indicateurs nutritionnels préopératoires

L'association entre l'AFP et les indicateurs de l'état nutritionnel est présentée dans le tableau 5 :

TABLEAU 5 - Modèles de régression logistique simple pour les associations entre le fait d'être à risque nutritionnel selon la classification AFP et les indicateurs de l'état nutritionnel, en préopératoire.

Variables dépendantes	Avec risque d'AFP (OR ; IC 95 %)	Valeur p*
Évaluation globale subjective	1	
Nourri Malnutri	3,66 (1,35-9,90)	**0,010**
Dynamométrie		
Force musculaire normale	1	
Diminution de la force musculaire	3,84 (1,31-11,25)	**0,011**
Tour de bras		
Masse normale ou augmentée	1	
Déficit	4,24 (1,72-10,43)	**0,002**
Zone musculaire du bras		
Normale ou élevée Faible ou	1	
inférieure à la moyenne	4,38 (1,68-11,42)	**0,002**
Pli cutané du triceps		
Pas de déficit Déficit sévère ou	1	
léger	1,86 (0,74-4,69)	0,184
Perte de poids corporel		
< 10%	1 3,86 (1,64-9,06)	
> 10%		**0,002**

1Modèle de régression ajusté en fonction du site tumoral. La variable explicative dans chaque modèle de régression était la variable AFP (0 > sans risque nutritionnel et 1 > avec risque nutritionnel). Note : IC = intervalle de confiance ; OR = Odds Ratio.
Source : Données de recherche. Institut de gastroentérologie Alfa/HC/UFMG (n=121), Belo Horizonte, 2016.

Un modèle de régression logistique simple a été réalisé pour chaque indicateur anthropométrique sous sa forme dichotomisée (AGS, dynamométrie, CB, AMB, DCT et PPP), ajusté par le site tumoral et avec l'AFP comme variable explicative. On observe qu'en préopératoire, les individus à risque nutritionnel selon la catégorisation AFP sont plus susceptibles d'être dénutris, selon l'AGS (OR=3,66 ; IC 95 % : 1,35-9,90), le CB (OR=4,24 ; IC 95 % : 1,72-10,43), l'AMB (OR=4,38 ; IC 95 % : 1,68-11,42), et d'avoir un pourcentage plus élevé de perte de poids sévère (PPP) (OR=3,86 ; IC 95 % : 1,64-9,06). En ce qui concerne la dynamométrie, il a été observé que les patients classés à risque par l'AFP étaient 3,84 (IC 95 % : 1,31-11,25) fois plus susceptibles de présenter une diminution de la force musculaire ($p<0,05$).

5.4 Analyse de la concordance entre l'AFP et les indicateurs nutritionnels

La concordance entre l'état de risque selon la classification AFP et les indicateurs de l'état nutritionnel utilisés à l'Institut Alfa de Gastroentérologie (AGS, dynamométrie et AMB) est présentée dans le tableau 6. On constate que la concordance entre l'AFP et tous les indicateurs évalués en préopératoire est significative mais faible ($p<0,05$).

TABLEAU 6 - Concordance entre le fait d'être à risque selon la classification AFP et différents indicateurs de l'état nutritionnel, en préopératoire.

Méthode de référence	**Total (N=121) (*coefficient kappa*/ valeur p)**
Évaluation globale subjective	0,29 **(p=0,001)**
Zone musculaire du bras	0,24 **(p=0,003)**
Dynamométrie	0,25 **(p=0,003)**

Source : Données de recherche. Institut de gastroentérologie Alfa/HC/UFMG (n=121), Belo Horizonte, 2016.

5.5 Caractérisation et association entre l'AFP, la glycémie et les résultats cliniques

Dans cette étude, en ce qui concerne les résultats cliniques, une prévalence élevée de complications infectieuses (57,0 %) a été identifiée chez les patients cancéreux évalués. Les patients classés à risque selon la classification AFP étaient 3,51 (IC 95 % : 1,37-8,99 ; p=0,009) fois plus susceptibles de présenter des complications infectieuses au cours de leur séjour à l'hôpital. Il n'y avait pas d'association entre l'AFP et les autres résultats évalués ($p>0,05$) (TABLEAU 7).

TABLEAU 7 - Analyse de régression logistique des associations entre l'AFP et les résultats cliniques au cours de la période préopératoire

Variables dépendantes	**AFP préopératoire (OR ; 95% CI)**	**Valeur p***

Complications infectieuses Non	1	
Oui	3,51 (1,37-8,99)	**0,009**
Complications non infectieuses Non	1	
Oui	1,25 (0,51-3,02)	0,619
Glycémie préopératoire		
Normoglycémie < 140mg/dL	1	
Hyperglycémie hospitalière > 140mg/dL	0,43 (0,06-2,77)	0,378
Durée du séjour à l'hôpital < 16 jours	1	
> 16 jours	0,348 (0,04-3,02)	0,348

*Modèles de régression ajustés pour le site de la tumeur et la durée du séjour. Dans le cas de la glycémie capillaire, également ajustée pour la présence de diabète. La variable explicative dans chaque modèle de régression était l'AFP (0 > sans risque nutritionnel et 1 > avec risque nutritionnel). Note : IC = intervalle de confiance ; OR = Odds Ratio.
Source : Données de recherche. Institut de gastroentérologie Alfa/HC/UFMG (n=121), Belo Horizonte, 2016.

La fréquence des patients qui sont allés à l'unité de soins intensifs (USI) représentait 36,4 % de l'échantillon (N=44). La durée médiane du séjour en USI était de 0 (0-5) et la durée médiane du séjour à l'hôpital était de 6 (5-9) jours. Le taux de mortalité constaté pendant le séjour des patients était de 3,3 %, soit un total de 4 décès.

En ce qui concerne l'évaluation de la glycémie capillaire dans le sous-échantillon collecté (n=50), il a été observé que 33,3 % des patients présentaient une hyperglycémie à l'hôpital pendant la période postopératoire. Les niveaux moyens de glycémie étaient de 120±33 mg/dL, 135 ±37 mg/dL et 125 ±37 mg/dL en préopératoire, en postopératoire et à la sortie de l'hôpital, respectivement. L'analyse par paires a révélé que la glycémie moyenne au moment postopératoire était plus élevée qu'à la sortie de l'hôpital (p<0,05). Cependant, il n'y avait pas de différence significative de glycémie entre les périodes pré- et post-opératoires (p>0,05) et entre la période pré-opératoire et la sortie de l'hôpital (p>0,05). D'autre part, les données obtenues en comparant les glycémies moyennes à l'aide du test d'ancova, ajusté à la présence de diabète, indiquent qu'il existe une différence avec une tendance significative, selon la catégorisation AFP, uniquement au stade préopératoire, les patients classés comme étant à risque nutritionnel, selon la catégorisation AFP, ayant une glycémie moyenne plus élevée que les patients classés comme n'étant pas à risque (133,11±8,7 vs. 115,99±4,6, p=0,089).

En comparant la durée d'hospitalisation, on a observé qu'il n'y avait pas de différence significative dans la durée d'hospitalisation entre les patients identifiés comme étant à risque par l'AFP (médiane : 6,00, p25 : 5,00, p75 : 9,00) par rapport à ceux caractérisés comme n'étant pas à risque (médiane : 7,00, p25 : 5,00, p75 : 9,25) selon la catégorisation de l'AFP (p=0,720). On a également observé qu'il n'y avait pas de différence significative dans le taux de risque de décès entre les patients classés comme étant à risque ou non, selon la catégorisation AFP (HR : 2,37 ; 95% CI : 0,33-16,88, p=0,387).

CHAPITRE 6

DISCUSSION

L'utilisation de l'angle de phase comme prédicteur de la masse cellulaire corporelle et, par conséquent, comme marqueur possible de l'état nutritionnel, et pour prédire les résultats cliniques et la survie, a été évaluée au cours de la dernière décennie (BARBOSA- SILVA, 2005 ; PAIVA *et al.*, 2010 ; KYLE et *al.*, 2012 ; NORMAN *et al.*, 2012 ; MALECKA-MASSALSKA *et al.*, 2015).

Cependant, cet indicateur fait encore l'objet de controverses, car la plupart des études ont utilisé l'AP en degrés et chez des patients souffrant de différents types de maladies, ce qui rend son utilisation et son interprétation difficiles, car l'AP peut varier en fonction de différents déterminants tels que : la maladie sous-jacente, la population, le sexe et l'âge (SUITA ; YAMANOUCHI, 2000 ; BARBOSA-SILVA *et al*, 2005a ; BOSY-WESTPHAL *et al.*, 2006 ; BARBOSA-SILVA *et al.*, 2008 ; NORMAN *et al.*, 2010 ; SCHEUNEMANN *et al.*, 2011).

Dans cette étude, il est important de noter que nous avons choisi d'utiliser l'angle de phase standardisé (SPA) plutôt que l'angle de phase en degrés. Ce choix est dû au fait que l'angle de phase en degrés peut être modifié en fonction du sexe et de l'âge, et varier en fonction de la population étudiée (BARBOSA-SILVA *et al.*, 2008 ; PAIVA *et al.*, 2010 ; NORMAN et *al.*, 2012). L'AFP étant une valeur ajustée à l'âge, au sexe et prenant en compte l'écart-type (ET), les valeurs inférieures au cinquième percentile de la population saine (BARBOSA-SILVA, 2005) pourraient être plus efficaces pour indiquer des changements dans l'état de santé des patients que les valeurs absolues, données en degrés (BARBOSA-SILVA 2008 ; NORMAN *et al.*, 2010 ; PAIVA *et al., 2010*). En ce sens, l'hypothèse principale de cette étude était d'examiner si l'AFP pouvait être utilisée comme méthode d'évaluation de l'état nutritionnel chez les patients cancéreux hospitalisés, ainsi que de vérifier sa relation avec l'hyperglycémie hospitalière et s'il pouvait être un prédicteur potentiel de résultats cliniques défavorables.

L'état nutritionnel des patients a été évalué à l'aide de différents paramètres. Une forte prévalence (63,6 %) de patients malnutris a été constatée en préopératoire, selon la classification AGS. En ce qui concerne la dynamométrie, 16,5 % des patients présentaient des signes de diminution de la force musculaire, tandis que la classification de l'état nutritionnel évaluée à l'aide de la BC et de l'AMB montrait que plus de la moitié des patients étudiés présentaient des déficits nutritionnels. Ces prévalences sont supérieures à celles décrites dans la littérature. Dans une étude récente, Barbosa-Silva *et al.* (2014) ont évalué 66 patients diagnostiqués avec un cancer colorectal et ont trouvé que 36,4% des patients étaient malnutris selon l'AGS. Dans une autre étude récente, Fernandez *et al.* (2014) ont évalué l'état nutritionnel de 201 patients admis dans un hôpital universitaire et ont rapporté que 11,9 % étaient classés comme malnutris selon l'AGS, la prévalence la plus élevée de la malnutrition étant détectée chez les patients admis dans le service d'oncologie et d'hématologie. Dans l'étude de Malecka-Massalska *et al.* (2015) sur 75 patients atteints d'un cancer de la tête et du cou, 40 % des individus se sont révélés mal nourris selon la classification AGS (32 % ont été diagnostiqués avec une malnutrition modérée et 8 % avec une malnutrition sévère). Ces données confirment que la prévalence de la malnutrition en milieu hospitalier est encore élevée.

En ce qui concerne l'AFP, 28,1 % des patients présentaient des valeurs faibles (<5e percentile ; <-1,65) en préopératoire. Cette prévalence était similaire à celle observée dans l'étude de Paixão *et al.* (2015), dans laquelle 104 patients hospitalisés en radiothérapie ont été évalués et 27 % des patients présentaient des valeurs inférieures au cinquième percentile (<-1,65), selon la classification de l'AFP pour la population brésilienne. Dans une étude réalisée par le groupe de Cardinal *et al.* (2010) sur 125 patients également hospitalisés pendant la période préopératoire, il a été observé que 20 % des patients se situaient en dessous du 5e percentile pour une population en bonne santé, en utilisant toutefois un seuil de (< - 0,8). Contrairement à ces résultats, Norman *et al.* (2010) ont rapporté une prévalence beaucoup plus élevée dans une étude portant sur 399 patients atteints de cancer, avec 78 % des patients classés comme ayant un taux d'AFP inférieur au cinquième percentile. On suppose que cette différence peut s'expliquer par la valeur de référence utilisée par ce groupe, qui correspondait à la population allemande, et qui diffère du seuil utilisé dans la présente étude.

La forte prévalence de la malnutrition constatée dans cette étude peut s'expliquer par les conditions socio-économiques et culturelles défavorables de ces patients, dont la plupart ont un accès tardif et restreint aux services médicaux publics. En outre, les patients chez qui un cancer a été diagnostiqué à différents endroits (tête et cou, côlon et rectum, foie et voies biliaires) ont été inclus dans l'étude. On sait que la localisation de la tumeur est un facteur important qui a un impact significatif sur l'état nutritionnel du patient et peut également être l'un des facteurs liés à la forte prévalence de la malnutrition constatée dans cette étude.

L'association entre la localisation de la tumeur et l'état nutritionnel a été évaluée. Il a été observé que les patients atteints de tumeurs du BFV étaient plus mal nourris en termes de différents paramètres par rapport aux autres sites tumoraux selon la classification AFP, et qu'ils présentaient un pourcentage plus élevé de diminution de la force musculaire par rapport aux patients diagnostiqués avec un cancer de la tête et du cou. Selon Jensen *et al.* (2009), les patients atteints d'hépatocarcinome présentent un risque accru de malnutrition, car le foie est l'organe central du métabolisme et est directement impliqué dans diverses réactions, en particulier celles qui impliquent des macro et micronutriments. En outre, le carcinome hépatocellulaire est plus difficile à classer que d'autres tumeurs solides, car la plupart des patients atteints de ce diagnostic présentent un dysfonctionnement hépatique sous-jacent, ainsi qu'une charge tumorale exagérée (HOFF *et al.*, 2013 ; THOMAS, 2013). Néanmoins, environ 20 à 30 % des tumeurs hépatiques, en particulier celles dont la taille est inférieure à 10 mm, ne sont pas faciles à identifier, quelle que soit la technique utilisée, ce qui entraîne un diagnostic tardif à un stade avancé de la maladie (LLOVET *et al.*, 2003 ; MALFERTHEINER, 2015). Ainsi, les retards de diagnostic et de traitement peuvent avoir des répercussions négatives sur l'état nutritionnel de ces patients (JENSEN *et al.*, 2009 ; LLOVET *et al.*, 2003 ; BOZZETTI *et al.*, 2012).

D'autres facteurs liés à l'état nutritionnel sont le sexe et l'âge. Dans cette étude, la comparaison de l'âge moyen entre les patients malnutris et bien nourris, selon les différents indicateurs nutritionnels évalués, n'a pas révélé de différence significative ($p>0,05$). En ce qui concerne le sexe, une différence significative a été trouvée entre les hommes, selon la classification CB (57,8 pour cent *vs.* 30,4 pour cent, $p= 0,003$) et AMB (72,6 pour cent *vs.* 28,6 pour cent, $p< 0,001$), par rapport aux femmes, sans différence pour les autres indicateurs. Un résultat similaire a été trouvé par Cardinal *et al.* (2010) dans une étude portant sur 125 patients chirurgicaux. Les auteurs ont observé un appauvrissement nutritionnel plus important, selon la classification AMB, chez les hommes que chez les femmes (46,6 % *contre* 16,4 %). Selon Schraiber *et al.* (2010), les hommes consultent les services de santé plus tard, alors qu'ils sont généralement déjà atteints de la maladie ou à des stades plus avancés de la pathologie, ce qui a un impact sur leur état nutritionnel.

En ce qui concerne l'âge, nos résultats diffèrent de ceux décrits dans la littérature. Azevedo *et al.* (2006), dans une étude portant sur 136 patients hospitalisés, ont constaté que l'âge était lié à la malnutrition. Selon Kyle *et al.* (2012), les personnes âgées ont plus de difficultés à retrouver leur état nutritionnel en raison des changements métaboliques et physiologiques résultant du processus de vieillissement lui-même. Pirlich *et al.* (2005) ont constaté que les patients âgés de 80 ans ou plus étaient cinq fois plus susceptibles d'être mal nourris que ceux de moins de 50 ans. Dans cette étude, l'âge moyen était de 58±12,5 ans. On pense donc que le fait que les patients étudiés n'étaient pas d'un âge avancé peut être l'une des raisons pour lesquelles aucune association n'a été trouvée avec l'état nutritionnel.

Un modèle de régression logistique simple a été utilisé pour analyser l'association entre l'AFP et les indicateurs de l'état nutritionnel préopératoire. Il en ressort que les individus à risque nutritionnel, selon la catégorisation de l'AFP, sont plus susceptibles d'être mal nourris, selon AGS, CB, AMB, et d'avoir un PPP plus élevé. En ce qui concerne la dynamométrie, il a été observé que les patients catégorisés comme étant à risque par l'AFP étaient également plus susceptibles de présenter une diminution de la force musculaire ($p<0,05$). Ces résultats sont conformes à la relation entre l'AP et la masse cellulaire corporelle. Ainsi, les modifications de la CCM dues à une altération de l'état nutritionnel peuvent entraîner des modifications de l'AP (BARBOSA-SILVA *et al.*, 2003). En outre, la déficience fonctionnelle est directement associée à une diminution de la force musculaire, reflétant une diminution de la masse corporelle maigre (MONTANO-LOZA *et al.*, 2015 ; SCHUTTE ; SCHULZ ; MALFERTHEINER, 2015), ce qui pourrait également interférer avec les valeurs de l'AFP.

En ce qui concerne la dynamométrie, l'étude de Norman *et al.* (2009) a évalué 189 patients atteints de différents types de cancer et a montré que les valeurs de dynamométrie étaient significativement plus faibles chez les patients diagnostiqués comme souffrant de malnutrition par l'AGS par rapport aux patients bien nourris. Les auteurs ont conclu que la malnutrition est un facteur de risque indépendant pour la réduction de la force musculaire dans cette population. Selon Barbosa-Silva *et al.* (2008), les changements dans la fonctionnalité évalués à l'aide de la dynamométrie seraient observés avant les changements dans les paramètres anthropométriques tels que l'AMB, le CB, le DCT en présence de malnutrition. On peut donc en déduire que les marqueurs cellulaires et fonctionnels changent plus tôt en présence de changements dans l'état nutritionnel des patients hospitalisés, ce qui rend cette méthode utile pour l'évaluation en milieu hospitalier. La relation entre l'AFP et la dynamométrie a également été évaluée par Norman *et al.* (2010). Les auteurs ont étudié 399 patients oncologiques et ont montré que l'AFP était considérée comme un bon prédicteur pour identifier l'altération de l'état fonctionnel, mesurée par la force musculaire. Dans une étude évaluant des patients atteints de cancer du côlon et du rectum, il a été observé qu'une augmentation de l'AP était associée à une augmentation de l'échelle de fonction physique et à une réduction de la fatigue, démontrant une amélioration des aspects fonctionnels et de la qualité de vie de ces patients (GUPTA *et al.*, 2009). Il est connu que la force musculaire est réduite, en particulier chez les patients atteints de cancer, car le catabolisme dans lequel se trouvent ces patients peut affecter directement les fibres musculaires squelettiques, avec une réduction conséquente de la force musculaire, interférant ainsi dans la fonctionnalité de ces individus (NORMAN *et al.*, 2011 ; LIMBERGER *et al.*, 2014).

Peu d'études ont évalué l'AFP avec d'autres marqueurs de l'état nutritionnel tels que le CB et l'AMB chez des patients chirurgicaux. Dans l'étude menée par Cardinal *et al.* (2010) auprès de 125 patients chirurgicaux hospitalisés en phase préopératoire, une valeur moyenne d'AFP plus faible a été observée chez les patients malnutris, selon l'AMB (kappa=0,20). Dans l'étude de Peres *et al.* (2012), menée auprès de 66 patients admis dans un hôpital universitaire, des valeurs d'AP plus élevées, mesurées en degrés, étaient positivement corrélées avec les mesures anthropométriques du WC ($r = 0,29$, $p = 0,015$) et de l'AMB ($r = 0,29$, $p = 0,023$).

Dans la présente étude, l'AFP a également été associée au pourcentage de perte de poids, et le fait d'être à risque selon la catégorisation de l'AFP a augmenté de 3,86 fois les chances du patient d'avoir un pourcentage de perte de poids sévère (>10%). On sait que la perte de poids involontaire est présente chez près de 85 % des patients atteints de différents types de tumeurs (PAIVA *et al.*, 2010). Bien qu'elle ne soit pas utilisée isolément dans l'évaluation nutritionnelle, les données suggèrent qu'une perte de poids de plus de 5 % du poids habituel du patient au cours des six derniers mois est associée à une réduction de l'apport alimentaire et à une inflammation systémique. Cela peut indiquer une cachexie et conduire à des anomalies métaboliques progressives, à des troubles électrolytiques et à des déficits immunologiques, qui sont également associés à une augmentation des complications et de la mortalité (MARIN CARO *et al.*, 2008 ; GONZALEZ-SILVIA *et al.*, 2013). Des résultats similaires ont été trouvés dans une étude récente de Paixão, Gonzalez et Ito (2015) sur 104 patients cancéreux soumis à une radiothérapie, dans laquelle une réduction de 1 kg du poids corporel correspondait à une réduction de 0,107 degré de l'AP ($p<0,0001$).

Dans la présente étude, l'AFP préopératoire était également associée à la SGA. Les personnes à risque selon la classification AFP étaient environ quatre fois plus susceptibles d'être mal nourries selon la classification SGA. Ce résultat est conforme à celui obtenu par Scheunemann *et al.* (2011) dans une étude portant sur 98 patients admis pour une chirurgie gastro-intestinale. Ces auteurs ont montré que les patients diagnostiqués comme malnutris par l'AGS avaient une AFP significativement plus basse par rapport à la moyenne de ceux qui étaient bien nourris. Une autre étude portant sur des patients hospitalisés pour une maladie gastro-intestinale a montré qu'il y avait une diminution progressive de l'angle de phase en fonction de la classification de la malnutrition par l'AGS (NORMAN *et al.*, 2008). L'étude de Barbosa-Silva (2005a) a également montré que l'angle de phase était étroitement lié à l'état nutritionnel des patients hospitalisés, selon l'AGS, au stade préopératoire.

Le test kappa a été réalisé pour évaluer la bonne concordance de l'AFP avec les différentes méthodes d'identification de l'état nutritionnel (AGS, AMB et dynamométrie) utilisées dans la pratique de l'Institut Alfa de Gastroentérologie. Il a été observé qu'en préopératoire, il existait une concordance significative ($p<0,05$) mais faible entre l'AFP et l'ensemble des méthodes de référence d'évaluation de l'état nutritionnel (AGS, k=0,29 ; AMB, k=0,24 ; Dynamométrie, k=0,25). Les valeurs du coefficient kappa trouvées dans cette étude sont proches des coefficients rapportés par Scheunemann *et al.* (2011) qui ont évalué des patients en pré-chirurgie, dont 15% avaient un cancer gastro-intestinal, et ont trouvé une faible concordance entre l'AFP et l'AGS (kappa=0,27), et parmi les patients atteints de cancer du côlon et du rectum, Gupta *et al.* (2008) ont trouvé un kappa=0,33. Dans l'étude de Barbosa-Silva *et al.* (2003), qui a évalué 279 patients hospitalisés pendant la période préopératoire, des valeurs d'AP plus faibles (AP < 5ème percentile) ont été observées chez les patients classés comme malnutris à l'aide de l'AGS, montrant une meilleure concordance (kappa=0,39), mais la concordance a également été jugée médiocre. Selon Scheunemann *et al.* (2011), le faible niveau de concordance constaté entre l'APF et d'autres méthodes d'évaluation de l'état nutritionnel peut être dû au fait que l'AP et les indicateurs de l'état nutritionnel expriment des aspects et des niveaux différents de la carence nutritionnelle. Barbosa-Silva *et al.* (2008) ont déclaré que la première étape à être altérée au cours du processus de malnutrition est liée aux altérations moléculaires, telles que les changements dans les membranes cellulaires, qui peuvent être observées à l'aide de l'angle de phase.

En ce sens, parce qu'elle est capable de refléter les altérations moléculaires, l'AFP serait un indicateur plus précoce que l'anthropométrie, par exemple, pour détecter la malnutrition (BARBOSA-SILVA *et al.,* 2008). Cependant, d'autres études sont nécessaires pour confirmer l'utilisation de l'AP comme méthode d'évaluation et de suivi nutritionnel, car les résultats de cette étude suggèrent que l'AFP ne peut pas être utilisée comme méthode d'évaluation de référence, étant donné qu'elle n'a pas montré une bonne concordance avec les méthodes utilisées dans le milieu hospitalier.

En ce qui concerne les résultats cliniques, il a été observé que la prévalence des complications infectieuses était présente dans plus de la moitié de l'échantillon de l'étude (57,0 %) et que celles-ci étaient associées à l'IFP (p<0,05). On sait que l'angle de phase est basé sur des mesures de réactance, qui sont à leur tour associées à la fonction de masse et à l'intégrité de la membrane cellulaire. Celles-ci peuvent être compromises par la libération de cytokines inflammatoires, dérivées de la présence de la tumeur elle-même, et par l'altération de l'homéostasie chez les patients ayant subi une intervention chirurgicale pour un cancer. Ainsi, ces personnes seraient plus exposées au risque de complications, notamment infectieuses (HUI *et al.*, 2014). Barbosa-Silva *et al.* (2005a) ont également observé que les patients présentant des valeurs d'angle de phase plus faibles étaient davantage exposés à des risques élevés de complications après les interventions chirurgicales.

Il faut noter que peu d'études ont évalué le potentiel de l'AFP à prédire les complications, qu'elles soient infectieuses ou non infectieuses (SCHWENK *et al.*, 2000 ; BARBOSA-SILVA, 2005a ; HUI *et al.*, 2014). La plupart des auteurs ont évalué et relié l'AP à la survie (TOSO *et al.*, 2000 ; SELBERG ; SELBERG, 2002 ; GUPTA et *al.* 2004a ; AZEVEDO et *al.*, 2006 ; GUPTA et *al.*, 2008 ; HUI et *al.*, 2009 ; SONSIN et *al.*, 2009 ; PAIVA et al., 2010 ; NORMAN *et al., 2010 ;* LLAMES et al., 2013 ; HUI *et al.*, 2014). Gupta *et al.* (2004a) et Gupta *et al.*
(2004b), qui ont évalué des patients atteints de cancer du pancréas et de cancer colorectal, ont montré que les valeurs d'AP inférieures à 5 degrés étaient liées à un pronostic plus défavorable et à une durée de survie plus courte que les patients évalués avec une AP plus élevée. Selon Hui *et al.* (2014), qui ont évalué 222 patients diagnostiqués avec un cancer avancé, ceux classés avec un AFP inférieur au cinquième percentile présentaient un risque accru de complications post-chirurgicales. Barbosa-Silva *et al.* (2005b) ont comparé l'AP à d'autres paramètres nutritionnels ainsi qu'à des facteurs pronostiques de complications post-chirurgicales. Les auteurs ont montré que, même après une analyse ajustée en fonction du sexe et de l'âge, l'AP restait associée à un pronostic plus défavorable. Ces résultats indiquent que l'AP, en plus d'être un marqueur de la fonction cellulaire, peut être un facteur prédictif du risque de complications défavorables et de la survie.

Le concept d'hyperglycémie induite par le stress n'est pas nouveau et l'intérêt pour ce sujet s'est accru depuis que Van Den Berghe (2001) a montré qu'un contrôle strict de la glycémie (80-110mg/dL) avec de l'insuline intraveineuse continue était associé à une morbidité (sepsis, transfusion sanguine) et une mortalité plus faibles chez les patients hospitalisés (il convient de noter que 60 % de la population de cette étude était constituée de patients en phase postopératoire). Cette étude a révélé que 33,3 %

des patients présentaient une hyperglycémie à l'hôpital (glycémie >140mg\dL), avec une différence moyenne significative entre la période post-opératoire et la sortie de l'hôpital ($p<0,05$). Ces résultats étaient prévisibles, étant donné qu'au cours de la période postopératoire, les patients subissant une intervention chirurgicale présentent divers changements métaboliques dus à la réponse systémique au traumatisme chirurgical, dans le but principal de fournir du carburant cellulaire à un moment de demande métabolique accrue, un phénomène fréquent dans l'environnement hospitalier (WAITZBERG *et al.*, 2001 ; LEITE *et al.*, 2010 ; BONAMICHI et *al.*, 2015). De plus, la plupart des patients ont été évalués à proximité du pic de la réponse inflammatoire, c'est-à-dire au troisième jour postopératoire (3e jour PO), lorsqu'il y a également un pic de concentration de cytokines pro-inflammatoires, principalement IL-6, IL-1 et TNFa, avec une augmentation concomitante de la production d'hormones de contre-régulation telles que le cortisol, le glucagon et les catécholamines, avec une augmentation de la résistance périphérique à l'action de l'insuline et une augmentation de la dépense énergétique totale (WAITZBERG *et al...*, 2001 ; BRIASSOULIS *et al.*, 2009 ; WEIMANN *et al.,* 2009). Ces changements peuvent conduire à différents troubles, tels que la glycotoxicité cellulaire (LEITE *et al.*, 2010 ;
BONAMICHI *et al.,* 2015 ; SOCIEDADE BRASILEIRA DE DIABETES, 2015b) et pourrait affecter directement la santé des membranes, et donc interférer avec l'AP de ces patients. Cependant, la glycémie capillaire n'a pas été associée à l'AP dans notre étude ($p>0,05$). Pour ces résultats, on peut supposer que le fait que le sang ait été prélevé par voie capillaire a pu causer des interférences par rapport au prélèvement veineux, puisque la marge d'erreur entre les formes mesurées peut varier entre 20 et 25 % (SACKS *et al.*, 2003). On pense également que l'effet délétère extrême des glucocorticoïdes ayant un impact sur la membrane cellulaire se produit à des valeurs de glycémie encore plus élevées que celles observées, lorsqu'il n'y a pas de correction par bolus et de traitement adéquat dans la routine hospitalière ; ce qui n'était pas la pratique dans notre service (ACE/ADA, 2009 ; BRAZILIAN DIABETES SOCIETY, 2015a). Cependant, nous n'avons pas trouvé d'autres études ayant évalué cette situation. Les données obtenues à partir de la comparaison des niveaux moyens de glycémie indiquent que les patients classés comme étant à risque selon l'AFP avaient des niveaux moyens de glycémie plus élevés que les patients classés comme n'étant pas à risque (133,11 ±8,7 vs. 115,99±4,6, $p=0,089$) dans la période préopératoire. On pense que ces résultats ont pu être influencés principalement par le fait que la collecte de la glycémie a eu lieu dans un sous-échantillon (N=50) en raison de la difficulté de la collecte, d'une période

d'ajustements financiers, d'une grève de l'hôpital, entre autres facteurs inhérents à la routine de l'Institut, ce qui a eu un impact sur la puissance de l'échantillon (30%) évaluée. Cependant, aucune étude n'a été trouvée à ce jour pour évaluer cette association. Ces résultats sont plausibles et suggèrent que d'autres études sont nécessaires pour vérifier et approfondir l'association possible entre l'AFP et l'hyperglycémie (quel que soit le diagnostic antérieur de diabète du patient), étant donné qu'elle est si fréquente dans l'environnement hospitalier, ainsi que de futures études qui pourraient évaluer l'impact des changements glycémiques sur les résultats défavorables chez les patients en chirurgie oncologique.

Les complications non infectieuses, la durée du séjour en soins intensifs et le décès n'ont pas été associés à la PFA dans cette étude, bien qu'il soit connu que plus l'état nutritionnel du patient est mauvais, plus le séjour à l'hôpital est long, plus le patient est vulnérable aux réadmissions, à l'augmentation des complications et des infections (WAITZBERG *et al.*, 2001 ; HUMMAN MB *et al., 2005 ;* JOSEP-ARGILÉS *et al.*, 2014), on pense que la courte période moyenne d'hospitalisation et d'évaluation à laquelle les patients ont été soumis a joué un rôle important.
dans cette étude, peut avoir contribué à ces résultats. Fernandez *et al.* (2014) n'ont pas non plus trouvé d'association entre l'IFP, la durée du séjour et le décès pendant l'hospitalisation des patients hospitalisés ($p>0,05$).

Il convient de souligner que cette étude présente certaines limites. La stadification des tumeurs n'a pas été évaluée en relation avec les variables d'intérêt, ce qui aurait pu influencer les résultats. On sait que la stadification est considérée comme un outil pronostique important qui fournit une classification de la gravité de la tumeur afin d'aider à guider et à planifier le traitement (HOFF *et al.*, 2013 ; THOMAS, 2013). Une autre limite est que le type de thérapie nutritionnelle administrée, ainsi que l'approvisionnement en eau et le taux de mortalité après la sortie de l'hôpital, n'ont pas été recueillis. Ces éléments pourraient également interférer avec les résultats. Par conséquent, de futures études sont nécessaires pour démontrer si la PFA peut être modifiée par le type d'intervention nutritionnelle reçue et si cela aurait un impact sur un meilleur pronostic chez les patients en oncologie chirurgicale.

Ce travail a du potentiel. À notre connaissance, il s'agit de la première étude visant à déterminer si l'AP peut être utilisée comme méthode de diagnostic de l'état nutritionnel chez les patients ayant subi une intervention chirurgicale pour un cancer. La littérature manque également d'études visant à déterminer si l'AP est un prédicteur potentiel des résultats cliniques défavorables, et pas seulement de la survie, chez ces patients. En outre, peu d'études ont comparé l'AP à différents paramètres couramment utilisés en milieu hospitalier et, à notre connaissance, aucune étude à ce jour n'a évalué l'association supposée de l'AFP avec l'hyperglycémie en milieu hospitalier.

Dans cette perspective, on peut conclure que l'AFP étant une mesure qui évalue l'intégrité cellulaire et permet d'évaluer le risque nutritionnel de manière plus objective, elle pourrait aider les professionnels de la santé à évaluer l'état nutritionnel des patients hospitalisés, afin d'optimiser l'évaluation métabolique, la classification nutritionnelle et, par conséquent, le traitement. Dans l'étude présentée ici, l'AP était associée à l'AGS, à la dynamométrie et aux paramètres anthropométriques couramment utilisés en milieu hospitalier : CB, AMB et pourcentage de perte de poids. Par conséquent, l'AP peut être considéré comme un outil utile pour aider à classer l'état nutritionnel des patients atteints de cancer. Les résultats suggèrent également que l'AFP est un bon marqueur et indicateur de pronostic, capable de prédire les complications infectieuses et a montré une tendance significative d'association en relation avec la glycémie capillaire chez les patients d'oncologie chirurgicale évalués.

Des recherches futures sont nécessaires pour examiner les différents changements physiologiques et cellulaires associés à l'angle de phase, dans différentes populations et dans l'environnement hospitalier tout au long de l'hospitalisation. Ces recherches pourraient également confirmer la possibilité d'utiliser l'AFP en association avec d'autres outils de diagnostic chez les patients hospitalisés, afin d'accroître la sensibilité de la détection d'un état nutritionnel déficient et de sa relation possible avec la glucotoxicité cellulaire.

CHAPITRE 7

RÉFÉRENCES

ACE/ADA. Déclaration de consensus de l'American Association of Clinical Endocrinologists et de l'American Diabetes Association sur le contrôle glycémique en milieu hospitalier. *Endocrine Practice*. v. 15, n. 4, p. 1-17, 2009.

ACUNA, K. ; CRUZ, T Evaluation de l'état nutritionnel des adultes et des personnes âgées et de la situation nutritionnelle de la population brésilienne. *Arq Bras Endocrinol Metab*, São Paulo, v. 48, n.3, p.345-361, Jun. 2004. Disponible à l'adresse suivante : <http://www.scielo.br/scielo.php?script=sci_arttext&pid=S0004-27302004000300004&lng=en&nrm=iso>. Consulté le 12 avril 2016.

ALLISON, S. P. Malnutrition, maladie et résultats. *Nutrition*. v.16, n.7-8, p.590-593, 2000.

ÁLVAREZ-HERNÁNDEZ, J. *et al.* Prevalence and costs of malnutrition in hospitalised patients ; The Predyces Study. *Nutr Hosp.* v. 27, n.4, p.1049-1059, 2012.

ALVES, F.D. ; et al. Prognostic role of phase angle in hospitalised patients with acute decompensated heart failure. *Clin Nutr.* pii : S0261-5614(16)30024-3. 2016.

COLLÈGE AMÉRICAIN DES CHIRURGIENS. *Bulletin du Collège américain des chirurgiens*. 2000. Disponible à l'adresse : <http://bulletin.facs.org/>. Consulté le : 02 avr. 2016.

ARGILÉS, J.M. *et al.* Physiopathologie de la cachexie néoplasique. *Nutricion Hospitalaria*, Espagne, v. 21, n.3, p. 4-9, 2006.

ASPEN. Board of Directors and the Clinical Guidelines Task Force.Guidelines for the use of parenteral and enteral nutrition in adult and pediatric patients. *JPEN J Parenter Enteral Nutr.* v.26, n.1 Suppl, p.1SA-138SA, 2002.

AZEVEDO, L. C. *et al.* Prevalence of malnutrition in a large general hospital in Santa Catarina/Brazil. *ACM arq. catarin. Med.* v.35. n.4, p.89-96, oct.-déc. 2006.

BADIA-TAHULL, M.B. *et al.* Use of Subjective Global Assessment, Patient-Generated Subjective Global Assessment and Nutritional Risk Screening 2002 to evaluate the nutritional status of non-critically ill patients on parenteral nutrition. *Nutr Hosp.* v.29, n.2, p.411-429, 2014.

BALDASSO, E. *et al.* Hyperglycaemia and the use of insulin in critically ill children. *Sci Med*, v.16 , n.2, p.73-78, 2006. Disponible à l'adresse suivante : <http://revistaseletronicas.pucrs.br/ojs/index.php/scientiamedica/article/download/1624/1198>. Consulté le : 05 avr. 2016.

BARBOSA, L.R.L.S ; LACERDA-FILHO, A. ; BARBOSA, L.C.L.S. L'état nutritionnel préopératoire immédiat des patients atteints de cancer colorectal : une mise en garde. *Arq. Gastroenterol*, São Paulo . v. 51, n. 4, p. 331-336, Dec. 2014 .

BARBOSA-SILVA, M. C. *et al.* Reference values for phase angle in the Brazilian population. *Rev Bras Med.* v.65, p.104-105, 2008.

BARBOSA-SILVA, M. C. *et al.* Bioelectrical impedance analysis : population reference values for phase angle by age and sex. *Am J Clin Nutr,* v. 82, n.1, p. 49-52, 2005a.

BARBOSA-SILVA, M. C. *et al.* Can Bioelectrical impedance analysis identify malnutrition in preoperative nutrition assessment. *Nutrition.* v.19, n.5, p.422-426, 2003.

BARBOSA-SILVA, M.C. *et al.* Comparison of phase angle between normal individuals and chemotherapy patients using age and sex reference values. *JPEN J Parenter Enteral Nutr.* v.29, p.S32, 2005b.

BARBOSA-SILVA, M. C. ; BARROS, A. J. D. Bioelectrical impedance analysis in clinical practice : a new perspective on its use beyond body composition equations. *Curr Opin Clin Nutr Metab Care.* v.8, n.3, p. 311-317, 2005b.

BARBOSA-SILVA, M.C. ; BARROS, A. J. Bioelectric impedance and individual characteristics as prognostic factors for post-operative complications. *Clin Nutr.* v.24, n.5, p.830-848, 2005a.

BARBOSA-SILVA, M.C.G. ; BARROS, A.J.D. Évaluation nutritionnelle subjective : Partie 1 - Examen de sa validité après deux décennies d'utilisation. *Arq. Gastroenterol.* São Paulo, v.39,n.3, p.181-187, Jul 2002. Disponible à l'adresse suivante : <http://www.scielo.br/scielo.php?pid=S0004-28032002000300009&script=sci_abstract&tlng=pt>. Consulté le : 12 avril 2016.

BEGHETTO, M.G. ; *et al.* Nutritional assessment : description of the agreement between evaluators. *Rev Bras Epidemiol.* v.10, n.4, p.506-16, 2007.

BERBIGIER, M. C. *et al.* Bioelectrical impedance phase angle in septic patients admitted to intensive care units. *Rev Bras Ter Intensiva,* v. 25, n.1, p.25-31, 2013. Disponible à l'adresse : <http://www.ncbi.nlm.nih.gov/pubmed/23887756>. Consulté le 12 avril 2016.

BLACKBURN, G. L. ; BRISTIAN, B. R. Nutritional and metabolic assessment of the hospitalised patient. *JPEN.* v.1, p.11-22,1977.

BLUM D, *et al.* Cancer cachexia : a systematic literature review of items and domains associated with involuntary weight loss in cancer. *Crit Rev Oncol Hematol.* v.80, n.1, p.114-144, 2011.

BLUM, D. *et al.* Validation of the Consensus-Definition for Cancer Cachexia and evaluation of a classification model--a study based on data from an international multicentre project (EPCRC-CSA). *Ann Oncol.* v.25, n.8, p.1635-1642, 2014.

BONAMICHI, B.D.S.F. *et al.* Clinical applicability of glycated haemoglobin in the evolution of patients with hospital hyperglycemia. *Integr Mol Med.* v.2, n.4, p.248- 250, 2015.

BOSY-WESTPHAL, A. *et al.* Phase angle from bioelectrical impedance analysis : population reference values by age, sex, and body mass index. *JPEN J Parenter Enteral Nutr.* v.30, n.4, p.309-316, 2006.

BOTTONI, A. Évaluation nutritionnelle : tests de laboratoire. Dans : WAITZBERG, D. L. (ed.). *Oral, enteral and parenteral nutrition in clinical practice.* São Paulo : Atheneu, 2001. p.279-294.

BOZZETTI, F. *et al.* The nutritional risk in oncology : a study of 1,453 cancer outpatients. *Support Care Cancer.* v.20, p.1919-1928, 2012.

BRESIL - Ministère de la santé. *Surveillance alimentaire et nutritionnelle* - SISVAN : directives de base pour la collecte, le traitement et l'analyse des données et des informations dans les services de santé. Brasília : Ministério da Saúde ; 2004 (Series A. Normas e Manuais Técnicos). Disponívelem : <http://189.28.128.100/nutricao/docs/geral/orientacoes_basicas_sisvan.pdf>. HYPERLINK "http://bvsms.saude.gov.br/bvs/publicacoes/orientacoes_basicas_sisvan.pdf.Acesso" Consulté le : 11 mars 2016.

BRAUNSCHWEIG ,C. ; GOMEZ, S. ; SHEEAN, P.M. Impact of declines in nutritional status on outcomes in adult patients hospitalisés pendant plus de 7 jours. *J Am Diet Assoc.* v. 100, n.11, p.1316-1322, 2000.

BROWNER, W. S. ; CUMMINGS, S. R. ; HULLEY, S. B. Estimating sample size and statistical power : basic points. In : HULLEY, S.B. ; CUMMINGS, S.R. *Designing clinical research :* an epidemiological approach. Porto Alegre : Artmed, 2001. p.83-110.

BRUUN, L. I. *et al.* Prevalence of malnutrition in surgical patients : evaluation of nutritional support and documentation. *Clin Nutr,* v. 18, n. 3, p.141-147, 1999.

BUDZIARECK, M. B. ; DUARTE, R. R. P. ; BARBOSA-SILVA, M. C. G Reference values and determinants for handgrip strength in healthy subjects. *Clinical Nutrition.* v.27, p.357-362, 2008.

CACCIALANZA, R. *et al.* Phase angle and handgrip strength are sensitive early markers of energy intake in hypophagic, non-surgical patients at nutritional risk, with contraindications to enteral nutrition. *Nutrients.* v.7, n.3, p.1828-1840, 2015.

CALAZANS, F. C. F. *et al.* Nutritional Screening in Surgical Patients in a University Hospital of Vitoria, ES, Brazil. *Nutr. clín. diet. hosp.* v. 35, n.3, p.34-41,2015.

CALIXTO-LIMA, L. ; GONZALEZ, M. C. *Nutrição Clínica no dia a dia.* Rio de Janeiro : Rubio, 2013.

CARDINAL, T. R. *et al.* Standardised phase angle indicates nutritional status in hospitalized preoperative patients. *Nutr Res.* v.30, n.9, p.594-600, 2010.

CASTANHO, I. A. *et al.* Relationship between the phase angle and volume of tumours in patients with lung cancer. *Ann Nutr Metab.* v.62, n.1, p.68-74, 2013.

CATALANO, G. *et al.* The role of "bioelectrical impedance analysis" in the evaluation of the nutritional status of cancer patients. *Adv Exp Med Biol.* v.348, p.145-158,1993.

CERNE, D. *et al.* Lipoprotein lipase activity and gene expression in lung cancer and in adjacent non cancer lung tissue. *Exp Lung Res.* v.33, n.5, p. 217-225, 2007.

CHEN, C. H. *et al.* Hand-grip strength is a simple and effective outcome predictor in oesophageal cancer following oesophagectomy with reconstruction : a prospective study. *J Cardiothorac Surg.* v.6, n.98, p.1-5, 2011.

CHUMLEA, W. C. *et al.* Prediction of body weight for the nonambulatory elderly from anthropometry. *J Am Diet Assoc.* v.88, n.5, p.564-568, 1988.

CHUMLEA, W. C. ; ROCHE, A. F. ; STEINBAUGH, M. L. Estimating stature from knee height for persons 60 to 90 years of age. *J Am Geriatr Soc.* v.33, n.2, p. 116-120, 1985.

COLASANTO J. M. *et al.* Nutritional support of patients undergoing radiation therapy for head and neck cancer. *Oncology (Williston Park).* v.19, n.3, p.371-379, mar. 2005.

COOPER, R. ; KUH, D. ; HARDY, R. Objectively measured physical capability levels and mortality : systematic review and meta-analysis. *BMJ.* v.341, p.c4467, 2010.

COPPINI, L. Z. ; WAITZBERG, D. L. ; CAMPOS, A. C. Limitations et validation de l'analyse de l'impédance bioélectrique chez les patients atteints d'obésité morbide. *Curr Opin Clin Nutr Metab Care.* v.8, n.3, p.329-332, 2005.

CORREIA, M. I. T. D. Évaluation nutritionnelle des patients chirurgicaux. In : CAMPOS, A. C. L. *Nutrição em Cirurgia.* São Paulo : Atheneu, 2001. p. 1-13.

CORREIA, M. I. T D. Subjective nutritional assessment. *Rev Bras Clin.* v. 13, p. 68-73, 1998.

CORREIA, M. I. T. Subjective global assessment : a reliable nutritional assessment tool to predict outcomes in critically ill patients. *Clinical nutrition* (Edinburgh, Scotland). v.33, n.2, p.291-295, 2014.

CORREIA, M. I. T. ; CAMPOS, A. C. Prevalence of hospital malnutrition in Latin America : the multicentre ELAN study. *Nutrition.* v.19, n.10, p.823-825, 2003.

CORREIA, M.I. ; WAITZBERG, D.L. The impact of malnutrition on morbidity, mortality, length of hospital stay and costs evaluated through a multivariate model analysis. *Clinical nutrition* (Edinburgh, Scotland). v.22, n.3, p.235-239, 2003.

COSTA, G. L. O. B. *Phase angle as an indicator of nutritional status in digestive tract cancer.* 2012. 92 f. Mémoire (Master en alimentation, nutrition et santé) - École de nutrition, Université fédérale de Bahia ; Salvador, 2012.

CUNNINGHAM, C. ; LINDSEY, I. Cancer colorectal : prise en charge. *Colorectal Cancer*, v. 35, p.306-310, 2007.

CUSTEM, E.V. ; ARENDS, J. Les causes et les conséquences de la malnutrition associée au cancer. *European Journal of Oncology Nursing*, v. 9, p. 51-63, 2005.

DAVIES, M. Nutritional screening and assessment in cancer-associated malnutrition. *Eur J Oncol Nurs.* v.9, Suppl 2, p.S64-73, 2005.

DELGADO-RODRÍGUEZ, M. *et al.* Cholesterol and serum albumin levels as predictors of cross infection, death, and length of hospital stay. *Arch Surg.* v. 137, n.7, p.805-812, 2002.

DETSKY, A. S. Évaluation de l'état nutritionnel : améliore-t-elle l'information diagnostique ou pronostique ? *Nutrition.* v. 7, n. 1, p.37-38, 1991.

DETSKY, A. S. *et al.* What is subjective global assessment of nutritional status ? *JPEN J Parenter Enteral Nutr.* v. 11, n.1, p.8-13, 1987.

DETSKY, A.S. ; *et al.* What is subjective global assessment of nutritional status ? 1987. Article classique. *Nutr Hosp.* v. 23, n.4, p.400-407, 2008.

DEURENBERG, P. Commentaire invité : Validation of body composition methods and assumptions. *Br J Nutr.* v. 90, p.485-486, 2003.

DEWYS, W. D. *et al.* Prognostic eff ect of weight loss prior to chemotherapy in cancer patients. Eastern Cooperative Oncology Group. *Am. J. Med.,* v. 69, n.4, p.491-497, 1980.

DUCHINI, L. *et al.* Assessment and monitoring of the nutritional status of hospitalised patients : a proposal based on the opinion of the scientific community. *Rev. Nutr.,* Campinas, v.23, n.4, p.513-522, août 2010. Disponible à l'adresse suivante : <http://www.scielo.br/scielo.php?script=sci_arttext&pid=S1415- 52732010000400002>. Consulté le : 30 avril 2016.

DUERKSEN, D. R. *et al.* The validity and reproducibility of clinical assessment of nutritional status in the elderly. *Nutrition.* v.16, n.9, p.740-744, 2000.

DUVAL, P. A. *et al.* Cachexia in cancer patients admitted to an interdisciplinary home care programme. *Rev Bras Cancerologia.* v. 56, n.2, p.207- 212, 2010.

EHRMANN-JÓSKO, A. *et al.* Altération du métabolisme du glucose dans le cancer colorectal. *J. Scand J Gastroenterol.* v. 41, n. 9, p.1079-1086, Sep. 2006.

EICKEMBERG, M. *et al.* Electrical bioimpedance and its application in nutritional assessment. *Rev Nutr.*,Campinas. v.24, n.6, p.883-893, 2011. Disponible à l'adresse : <http://www.scielo.br/scielo.php?script=sci_arttext&pid=S1415- 52732011000600009>. Consulté le : 02 avr. 2016.

FEARON, K. *etal.* Definition_and_classification_of_cancer_cachexia
:
un_consensus_international. *Lancet Oncol.* v.12, n.5, p.489-495, 2011.

FEARON, K.C. ; VOSS, A.C. ; HUSTEAD, D.S. Definition of cancer cachexia : effect of weight loss, reduced food intake, and systemic inflammation on functional status and prognosis. *Am J Clin Nutr.* v.83, n.6, p.1345-1350, 2006.

FERNÁNDEZ, A. *et al.* Malnutrition chez les patients hospitalisés recevant des menus complets sur le plan nutritionnel : prévalence et résultats. *Nutr Hosp.* v.30, n.6, p. 1344-1349, 2014.

FERREIRA, N. M. L. ; SCARPA, A. ; SILVA, D. A. Chimiothérapie antinéoplasique et nutrition : une relation complexe. *Revista Eletrónica de Enfermagem,* v.10, p.1026- 1034, 2008.

FLOOD, A. *et al.* The use of hand grip strength as a predictor of nutrition status in hospital patients. *Clin Nutr.* v.33, n.1, p.106-114, 2014.

FONTES, D. *Évaluation de l'état nutritionnel des patients en état critique.* 2011. 148f. Mémoire (Master en sciences appliquées en chirurgie et ophtalmologie) - École de médecine, Université fédérale de Minas Gerais, Belo Horizonte, 2011.

FORCINA, D. V ; ALMEIDA, B. O. ; RIBEIRO JR, M. A F. Role of bariatric surgery in the control of type II diabetes mellitus. ***ABCD, arq. bras. cir. dig.*** v.21, n.3, p.130-132, 2008.

FRISANCHO, A. R. *Anthropometric Standards for the Assessment of Growth and Nutritional Status.* Ann Arbor, MI : The University of Michigan Press, 1990.

FRISANCHO, A. R. ; FLEGEL, P. N. Mérites relatifs des anciens et nouveaux indices de masse corporelle par rapport à l'épaisseur du pli cutané. *Am J Clin Nutr,* v. 36, n.4, p.697-699, 1982.

FRISANCHO, A. R. Triceps skin fold and upper arm muscle size norms for assessment of nutrition status. *Am J Clin Nutr.* v.27, n.10, p.1052-1058, 1974.

GANEP Nutrition humaine. *Principes physiques de l'impédance bioélectrique*. Cours : Unravelling Bioelectrical Impedance in Clinical Practice Version 1.0.Lilian Mika Horie. GANEP : São Paulo, 2015 (matériel didactique). Disponible à l'adresse : <http://www.ganepeducacao.com.br/>. Consulté le : 04 juillet 2015.

GOMES, P.M. ; *et al.* Control of Intra-Hospital Hyperglycaemia in Critical and Non-Critical Patients. *Medicina.* Ribeirão Preto. v.47, n.2, p. 194-200, 2014. Disponible à l'adresse : <http//:revista.fmrp.usp.br/>. Consulté le : 01 juillet 2015.

GONZALEZ, M.C. Subjective global assessment. In : WAITZBERG DL, éditeur. *Oral, enteral and parenteral nutrition in clinical practice*. 4.ed. São Paulo : Editora Atheneu, 2009. p. 341-371.

GRASSANI, S. G. *Diabetes x ICU.* Mémoire (Master en médecine intensive) - Association brésilienne de médecine intensive, Cuiabá, 2011.

GUERRA, M. R. ; GALLO, C. V. M. ; MENDONÇA, G A. S. Cancer risk in Brazil : trends and most recent epidemiological studies. *Rev Bras Cancerologia.* v. 51,

n. 3, p.227-234, 2005.

GUPTA, D. *et al.* Bioelectrical impedance phase angle in clinical practice : implications for prognosis in advanced colorectal cancer. *Am J Clin Nutr,* v. 80, n.6, p. 1634-1638, 2004a.

GUPTA, D. ; *et al.* Bioelectrical impedance phase angle as a prognostic indicator in advanced pancreatic cancer. *Br J Nutr*, v. 92, n. 6, p. 957-962, 2004b.

GUPTA, D. *et al.* Bioelectrical impedance phase angle as a prognostic indicator in breast cancer. *BMC Cancer.* v. 8, n. 249, p.1-7, 2008.

GUPTA, D. *et al.* The relationship between bioelectrical impedance phase angle and subjective global assessment in advanced colorectal cancer. *Nutr J.,* v.7, n.19, p.1-6, 2009.

GUYTON, A. C. ; HALL, J. E. *Treatise on medical physiology*. 10.ed. Rio de Janeiro : Guanabara Koogan, 2002.

HANLEY, J. A. ; MC NEIL, B. J. A method of comparing the areas under receiver operating characteristic curves derived from the same cases. *Radiology*. v.148, n.3, p.839-843, sep.1983.

HEYMSFIELD, S. B. *et al.* Anthropometric measurements of muscle mass ; revisited equation for calculating bone-free muscle area. *Am J Clin Nutr.* v. 36, n.4, p. 680-690, 1982.

HORIE, L. M. *et al.* New body fat prediction equations for severely obese patients. *Clin Nutr.* v. 27, n.3, p.350-356, 2008.

HORNBY, S. T. *et al.* Relations entre les mesures structurelles et fonctionnelles de l'état nutritionnel dans une population normalement nourrie. *Clin Nutr.* v.24, n.3, p.421-426, 2005.

HUI, D. *et al.* Phase angle for prognostication of survival in patients with advanced cancer

: preliminary findings. *Cancer*. v.120, n.14, p.2207-2214, 2014.

HULLEY, S. B. *et al. Designing clinical research :* an epidemiologic approach. 2nded. Philadelphie : Lippincott Williams & Wilkins, 2001.

HUMPHREYS, J. *et al. Muscle* strength as a predictor of loss of functional status in hospitalised patients. *Nutrition*. v.18, n.8, p.616-620, 2002.

INCA. Institut national du cancer. *Enquête brésilienne sur la nutrition oncologique*. Organisé par Cristiane Aline D'Almeida, Nivaldo Barroso de Pinho. Rio de Janeiro : INCA, 2013.

INCA. Institut national du cancer. Coordination générale des actions stratégiques. Coordination de la prévention et de la surveillance. *Estimation 2014* : incidence du cancer au Brésil. Rio de Janeiro : INCA, 2014. 124 p. Disponible à l'adresse suivante :
<http://www1.inca.gov.br/vigilancia/>. Consulté le : 01 avril 2014.

INCA. Institut national du cancer. Coordination générale des actions stratégiques. Coordination de la prévention et de la surveillance. *Estimation 2016/2017*. Rio de Janeiro : INCA, 2015b. Disponible à l'adresse : <http://www.inca.gov.br/estimativa/2016/>. Consulté le : 01 avril 2014.

INCA. Institut national du cancer. *Traitement du cancer.* 2016. Disponible à l'adresse : <http://www2.inca.gov.br/wps/wcm/connect/cancer/site/tratamento. Consulté le : 03 juin 2016.

INCA. Institut national du cancer. *Consensus national sur la nutrition oncologique.* Rio de Janeiro : INCA, 2009, 117p.

INCA. Institut national du cancer. Coordination générale des actions stratégiques. Coordination de la prévention et de la surveillance. *Institut national du cancer* [page d'accueil sur internet]. 2015a. Disponible sur : <http://www.inca.gov.br>. Consulté le : 01 déc. 2015.

INCA. Institut national du cancer. Coordination générale des actions stratégiques. Coordination de la prévention et de la surveillance. *La situation du cancer au Brésil.* Rio de Janeiro : INCA, 2008. Disponible à l'adresse : <http://www.inca.gov.br/enfermagem/docs/cap1.pdf>. Consulté le : 10 octobre 2012.

IZAWA, K.P. *et al.* Handgrip strength as a predictor of prognosis in Japanese patients with congestive heart failure. *Eur J Cardiovasc Prev Rehabil.* v.16, n.1, p.21- 27, 2009.

JAMAR. *Hydraulic hand dynamometer owners manual.* Canada : Sammons Preston, 2000, disponible sur le site : <https://content.pattersonmedical.com/PDF/spr/Product/288115.pdf>. Consulté le : 10 avr. 2016.

JANKOWSKA, R. ; KOSACKA, M. Cancer cachexia syndrome in patients with lung cancer. *Wiad Lek*, v. 56, n.7-8, p.308-312, 2003.

JEEJEEBHOY, K. N. Évaluation nutritionnelle. *Gastroenterol Clin North Am.* v.27, n. 2, p. 347-369, 1998.

JEEJEEBHOY, K. N. Évaluation nutritionnelle. *Nutrition.* v.16, n.2, p.585, 2000.

JENSEN, G. L. *et al.* Reconnaître la malnutrition chez les adultes : définitions et caractéristiques, dépistage, évaluation et approche d'équipe. *JPEN J Parenter Enteral Nutr.* v.37, p.802-807, 2013.

JENSEN, G.L. ; *et al.* Adult starvation and disease-related malnutrition : a proposal for etiology-based diagnosis in the clinical practice setting from the International Consensus Guideline Committee. *JPEN J Parenter Enteral Nutr.* v.34, n.2, p.156-9. 2010.

JENSEN, G. L. *et al.* Malnutrition syndromes : a conundrum vs continuum. *JPEN J Parenter Enteral Nutr.* v.33, n.6, p.710-716, 2009.

JOSEP-ARGILÉS, M. J. ; *et al.* Cancer cachexia : understanding the molecular basis. *Nat Rev Cancer*, v. 14, n. 11, p. 754-762, 2014.

KAISER, M. J. *et al.* Frequency of malnutrition in older adults : a multinational perspective using the mini nutritional assessment. *J Am Geriatr Soc.* v.58, n.9, p.1734-1738, 2010.

KAMIMURA, M. A. *et al.* Évaluation nutritionnelle. In : CUPPARI, L. *Nutrição clínica no adulto.* Barueri, SP : Manole, 2005. p. 89-127.

KAVANAGH, B. P. ; MCCOWEN, K. C. Pratique clinique. Glycaemic control in the ICU. *N Engl J Med*, v. 363, n.26, p.2540-2546, 2010.

KLEE OEHLSCHLAEGER, M. H. *et al.* Nutritional status, muscle mass and strength of elderly in southern Brazil. *Nutr Hosp.* v.31, n.1, p.363-370, 2014.

KRAWCZYK, J. *et al.* Metabolic and nutritional aspects of cancer.*Postepy Hig Med Dosw.* v.68, n.2, p.1008-1014, 2014.

KVAMME, J.M. *et al.* Risk of malnutrition and zinc deficiency in community-living elderly men and women : the Troms0 Study. *Public Health Nutr.* v.18, n.11, p.1907- 1913, 2015.

KYLE, U. G. *et al.* Bioelectrical impedance analysis-part I : review of principles and methods. *Clin Nutr.* v.23, n.5, p.1226-1243, 2004a.

KYLE, U. G. *et al.* Can phase angle determined by bioelectrical impedance analysis assess nutritional risk ? A comparison between healthy and hospitalised subjects. *Clin Nutr.* v.31, n.6, p.875-881, 2012.

KYLE, U. G. *et al.* Body composition interpretation : contributions of the fat-free mass index and the body fat mass index. *Nutrition.* v.19, p.597-604, 2002.

KYLE, U. G. *et al.* Is nutritional depletion by nutritional risk index associated with increased length of hospital stay ? A population based study. *JPEN.* v.28, n.2, p.99- 104, 2004b.

KYLE, U. G. ; GENTON, L. ; PICHARD, C. Hospital length of stay and nutritional status. *Curr Opin Clin Nutr Metab Care.* v.8, n.4, p.397-402. 2005.

KYLE, U. G. ; GENTON, L. ; PICHARD, C. Low phase angle determined by bioelectrical impedance analysis is associated with malnutrition and nutritional risk at hospital admission. *Clin Nutr.* v.32, n.2, p.294-299, 2013.

LANDIS, J. R. ; KOCH, G. G. The measurement of observer agreement for categorical data. *Biometrics.* v.33, n.1, p.159-174, Mar.1977.

LEANDRO-MERHI, A. *et al.* Comparative study of nutritional indicators in patients with neoplasms of the digestive tract. *Brazilian Archives of Digestive Surgery*. v. 21, n.3, p.114-119, 2008.

LEITE, S. A. *et al.* Impact of hyperglycemia on morbidity and mortality, length of hospitalisation and rates of re-hospitalization in a general hospital setting in Brazil. *Diabetol Metab Syndr*. v.2, n.1, p.49, 2010.

LIMA, K. V. G. ; MAIO R. Nutritional status, systemic inflammation and prognosis of patients with gastrointestinal cancer. *Nutr Hosp*. v.27, n.3, p.707-714, 2012.

LIMBERGER, V. R. ; PASTORE, C. A. ; ABIB, R. T. Association entre la dynamométrie de la main, l'état nutritionnel et les complications postopératoires chez les patients oncologiques. *Revista Brasileira de Cancerologia*. v.60, n.2, p. 135-141, 2014. Disponible à l'adresse : <http://www.inca.gov.br/rbc/n_60/v02/pdf/07-artigo-associacao-entre- dynamometria-manual-estado-nutricional-and-complicacoes-pos-operatorias-em-pacientes-oncologicos.pdf.> Consulté le : 24 juillet 2016.

LLAMES, L. *et al.* Phase angle values by electrical bioimpedance : nutritional status and prognostic value. *Nutr Hosp.,* Madrid. v.28, n.2, p.286-295, 2013. Disponible à l'adresse : <http://scielo.isciii.es/scielo.php?script=sci_arttext&pid=S0212-16112013000200004&lng=es&nrm=iso>. Consulté le : 12 avril 2016.

LLOVET, J. M. Hepatocellular carcinoma .*Lancet*. v.362, n.9399, p.1907-1917, 2003.

LOHMAN, T G. *Advances in body composition assessment* - current issues in exercise science series. Champaing : Human Kinetics, 1992.

LOHMAN, T G. ; ROCHE, A. F. ; MARTORELL, R. *Anthropometrics Standardisation Reference Manual*. Illinois : Human Kinetics Book, 1988.

LUCAS, M. C. S. ; FAYH, A. P. T Nutritional status, hyperglycaemia, early nutrition and mortality of patients admitted to an intensive care unit. *Rev. bras. ter. intensiva,* São Paulo, v.24, n.2, p.157-161, jun. 2012. Disponible à l'adresse : <http://www.scielo.br/scielo.php?script=sci_arttext&pid=S0103-507X2012000200010&lng=en&nrm=iso>. Consulté le : 01 avril 2016.

MAGGIORE, Q. *et al.* Nutritional and prognostic correlates of bioimpedance indexes in haemodialysis patients. *Kidney Int*. v.50, n.6, p.2103-2108, 1996.

MALECKA-MASSALSKA, T *et al.* Bioelectrical impedance phase angle and subjective global assessment in detecting malnutrition among newly diagnosed head and neck cancer patients. *Eur Arch Otorhinolaryngol*. v.273, n.5, p.1299-1305, 2015.

MARIN CARO, M. M. *et al* . Evaluation du risque nutritionnel et mise en place d'un soutien nutritionnel chez les patients oncologiques, selon le protocole du groupe espagnol de nutrition et de cancer. *Nutr. Hosp.* Madrid. v.23, n.5, p.458-468, oct. 2008.
Disponible à l'adresse : <http://scielo.isciii.es/scielo.php?script=sci_arttext&pid=S0212-16112008000700008&lng=es&nrm=iso>. Consulté le : 22 mai 2016.

MARTÍNEZ OLMOS, M. A. *et al.* Étude de l'état nutritionnel des patients hospitalisés dans les hôpitaux de Galice. *Eur J Clin Nutr*. v.59, n.8, p.938-946, 2005.

MARTINS, C. Composition corporelle et fonction musculaire. In : MARTINS, C. *Avaliação do Estado Nutricional e Diagnóstico*. São Paulo : Nutroclinica, 2008. p. 245-286.

MAULDIN, K. ; O'LEARY-KELLEY, C. Nouvelles lignes directrices pour l'évaluation de la malnutrition chez les adultes : patients obèses en état critique. *Crit Care Nurse*. v.35, n.4, p.24-30, 2015.

MELSTROM, L. G. *et al.* Mechanisms of skeletal muscle degradation and its therapy in cancer cachexia. Histol *Histopathol.* v.22, n.7, p.805-814, 2007.

MEYER, F. J. *et al.* Respiratory muscle dysfunction in congestive heart failure : clinical correlation and prognostic significance. *Circulation*. v.103, n.17, p.2153-2158, 2001.

MONTANO-LOZA, A. J. *et al.* Inclusion de la sarcopénie dans le MELD (MELD-sarcopenia) et prédiction de la mortalité chez les patients atteints de cirrhose. *Clin Transl Gastroenterol*. v.6, S.n., p.e102, 2015.

MONTEIRO, C. A. *et al.* Causes of the decline in child malnutrition in Brazil, 19962007. *Rev. Saúde Pública*, São Paulo , v. 43, n. 1, p.35-43, fév. 2009. Disponible à l'adresse : <http://www.scielo.br/pdf/rsp/v43n1/498.pdf>. Consulté le : 12 avril 2016.

MOREIRA, D. *et al.* Approach to palmar grip using the Jamar dynamometer : a literature review. *R. Bras. Ci. e Mov.* Brasília, v.11, n.2, p.95-99, 2003. Disponible sur : <http://portalrevistas.ucb.br/index.php/RBCM/article/viewFile/502/527>. Consulté le : 09 octobre 2015.

MORIN, P. J. *et al.* Cancer Genetics. In : KASPER, D.L. *et al. Harrison Internal Medicine.* 17.ed. Rio de Janeiro : McGraw-Hill interamericana do Brasil, 2008. p.468- 474.

MOTTA, R. S. T. ; CASTANHO, I. A. ; VELARDE, L. G. C. Valoración nutricional Cutoff point of the phase angle in pre-radiotherapy cancer patients. *Nutr Hosp.* v.32, n.5, p.2253-2260, 2015.

MUSSOI, T D. *Évaluation de l'état nutritionnel dans la pratique clinique* : de la grossesse au vieillissement. Rio de Janeiro : Guanabara Koogan, 2014.

NAGANO, M. ; SUITA, S. ; YAMANOUCHI, T. The validity of bioelectrical impedance phase angle for nutritional assessment in children. *J Pediatr Surg*. v.35, n.7, p.1035-1039, 2000.

NICE-SUGAR STUDY INVESTIGATORS *et al.* Intensive versus conventional glucose control in critically ill patients. *N Engl J Med*. v.360, n.13, p.1283-1297, 2009.

NORMAN, K. *et al.* Bioimpedance vector analysis as a measure of muscle function. *Clin. Nutr.* v.28, n., p.78-82, 2009.

NORMAN, K. *et al.* Cutoff percentiles of bioelectrical phase angle predict functionality, quality of life, and mortality in patients with cancer. *Am J Clin Nutr.* v.92, n.3, p.612-619, 2010.

NORMAN, K. *et al.* Effects of creatine supplementation on nutritional status, muscle function and quality of life in patients with colorectal cancer - a double blind randomised controlled trial. *Clin Nutr.* v. 25, n.4, p.596-605, 2006.

NORMAN, K. *et al.* Hand grip strength : outcome predictor and marker of nutritional status. *Clin Nutr.* v.30, n.2, p.135-142, 2011.

NURSAL, T. Z. *et al.* Simple two-part tool for screening of malnutrition. *Nutrition.* v.21, p.659-665, 2005.

OLIVEIRA, P. G. *Phase Angle as an Indicator of Negative Outcomes in Surgical Patients.* 2012. 81 f. Dissertation (Master en médecine) - École de médecine, Universidade Federal do Rio Grande do Sul ; Porto Alegre, 2012.

OTTERY, F. D. Definition of standardised nutritional assessment and interventional pathways in oncology. *Nutrition.* v.12, n.1, Suppl.1, p.S15-S19, janv. 1996.

PABLO, A. M. ; IZAGA, M. A. ; ALDAY, L. A. Assessment of nutritional status on hospital admission : nutritional scores. *Eur J Clin Nutr,* v. 57, n.7, p.824-831,2003.

PAIVA, S. I. *Use of bioimpedance in the monitoring of chemotherapy patients :* changes in phase angle. 2007. 50f. Mémoire (Master en santé et comportement) - École de psychologie et École de santé, Université catholique de Pelotas, Pelotas, 2007.

PAIVA, S. I. *et al.* Standardised phase angle from bioelectrical impedance analysis as prognostic factor for survival in patients with cancer. *Support Care Cancer.* v.19, n.2, p.187-192, 2010.

PAIXÃO, E. M. ; GONZALEZ, M. C. ; ITO, M. K. Une étude prospective sur les changements associés à la radiothérapie dans le poids corporel et l'angle de phase standardisé bioélectrique. *Clin Nutr.* v.34, n.3, p.496-500, 2015.

PAN, H. *et al.* The impact of nutritional status, nutritional risk, and nutritional treatment on clinical outcome of 2248 hospitalised cancer patients : a multi-center, prospective cohort study in Chinese teaching hospitals. *Nutr Cancer.* v.65, n.1, p.62- 70, 2013.

PASTORES, C. A. ; OEHLSCHALAEGER, M. H. K. ; GONZALEZ, M. C. Impact of Nutritional Status and Muscle Strength on Global Health and Quality of Life Status in Gastrointestinal and Lung Cancer Patients. *Rev. bras. Cancerol.* v.59, n.1, p.43-49, 2013. Disponible à l'adresse : <http://www.inca.gov.br/rbc/n_59/v01/pdf/07-impacto-do-estado-nutricional-e-da-for%C3%A7a-muscular.pdf>. Consulté le : 12 avril 2016.

PENNIÉ, J. B. État de la malnutrition dans les hôpitaux cubains. *Nutrition.* v.21, p.487-497, 2005.

PERES, W. A. *et al.* Phase angle as a nutritional evaluation tool in all stages of chronic liver disease. *Nutr Hosp.* v.27, n.6, p.2072-2078, 2012.

PIRLICH, M. *et al.* Social risk factors for hospital malnutrition. *Nutrition.* v.21, p.295- 300, 2005.

PUPIM, L. B. *et al.* Uremic malnutrition is a predictor of death independent of inflammatory status. *Kidney Int.* v.66, n.5, p.2054-2060, 2004.

RANTANEN, T. *et al.* Handgrip strength and cause-specific and total mortality in older disabled women : exploring the mechanism. *J Am Geriatr Soc.* v.51, n.5, p.636-641,2003.

RAVASCO, P. *et al.* Impact of nutrition on outcome : a prospective randomised controlled trial in patients with head and neck cancer undergoing radiotherapy. *Head Neck.* v.27, n.8, p.659-668, 2005.

RECH, C. R. *et al.* Validity of anthropometric equations for estimating body fat in elderly people in southern Brazil. *Rev. bras. cineanthropom. desempenho hum.* Florianópolis, v.12, n.1, p.01-07, fév. 2010.

SYSTÈME RJL. *Analyseurs d'impédance bioélectrique Quantum II et Quantum X.* Disponible à l'adresse suivante <http://www.rjlsystems.com/support/docs/analyzers/quantum iix/Quantum_IIX_Manual.pdf. Consulté le : 08 octobre 2015.

RODRIGUES, R. C. Comité de contrôle de la qualité. Secteur des soins intensifs - UNIFESP. *Protocole de contrôle glycémique*. São Paulo : UNIFESP, 2008. Disponible à l'adresse suivante : <http://www.saudedireta.com.br/docsupload/1339871979controle_glicemico.pdf>. Consulté le : 01 juillet 2015.

RUBINO F. *et al.* The Early Effect of the Roux-en-Y Gastric Bypass on Hormones Involved in Body Weight Regulation and Glucose Metabolism. *Ann Surg*. v.1, n.240, p.236-242, 2004.

RUIZ-MARGÁIN, A. *et al.* Malnutrition évaluée par l'angle de phase et sa relation avec le pronostic chez les patients atteints de cirrhose du foie compensée : une étude de cohorte prospective. *Dig Liver Dis.* v.47, n.4, p.309-314, 2015.

RYU, T Y. ; PARK, J. ; SCHERER, P. E. Hyperglycaemia as a Risk Factor for Cancer Progression (L'hyperglycémie en tant que facteur de risque pour la progression du cancer). *Diabetes Metab J.* v.38, n.5, p.330-336, 2014.

SACKS, D. B. *et al.* Guidelines and recommendations for laboratory analysis in the diagnosis and management of diabetes mellitus. *Diabetes Care.* v.25, p.750-786, 2003.

SALLINEN J. *et al.* Hand-grip strength cut-points to screen older persons at risk for mobility limitation. *J Am Geriatr Soc.* v.58, n.9, p.1721-1726, 2010.

SAMPAIO, M. R. M. ; PINTO, F. J. M. ; VASCONCELOS, C. M. C. S. Évaluation nutritionnelle des patients hospitalisés : accord entre différentes méthodes. *Rev Bras Promoç Saúde*. v.25, n.1, p. 110-115, 2012. Disponible à l'adresse : <http://www.redalyc.org/pdf/408/40823228016.pdf>. Consulté le : 15 avril 2016.

SCHEUNEMANN, L. *et al.* Agreement and association between the phase angle and parameters of nutritional status assessment in surgical patients. *Nutr Hosp.* v.26, n.3, p.480-487, 2011.

SCHLUSSEL, M. M. ; ANJOS, L. A. ; KAC, G Hand grip strength test and its use in nutritional assessment. *Rev. Nutr.,* Campinas, v.21, n.2, p. 223-235, 2008. Disponible à l'adresse suivante : <http://www.scielo.br/scielo.php?pid=S1415-52732008000200009&script=sci_abstract>. Consulté le : 12 avr. 2016.

SCHLUSSEL, M. M. *et al.* Referente values of handgrip dynamometry of health adults : A populatin-based study. *Clin Nutr.* v. 27, n.4, p.601-607, 2008.

SCHRAIBER, L.B. *et al.* Health needs and masculinities : primary care for men. *Cad. Saúde Pública*. v.26, n.5, p.961-970, 2010.

SCHUTTE, K. ; SCHULZ, C. ; MALFERTHEINER, P. Nutrition et cancer hépatocellulaire. *Gastrointest Tumours.* v.2, p. 188-194, 2015. Disponible à l'adresse : <http://www.karger.com/Article/PDF/441822>. Consulté le : 04 mai 2016.

SELBERG ,O. ; SELBERG, D. Norms and correlates of bioimpedance phase angle in healthy human subjects, hospitalised patients, and patients with liver cirrhosis. *Eur J Appl Physiol.* v.86, n.6, p.509-516, 2002.

SILVA ,T K. *et al.* Phase angle as a prognostic marker in patients with critical illness. *Nutr Clin Pract.* v.30, n.2, p.:261-265, 2015.

SILVA, L. M. D. L. ; CARUSO, L. ; MARTINI, L. A. Application de l'angle de phase dans des situations cliniques. *Revista Brasileira de Nutrição Clinica.* v.22, n.4, p.317-321,2007.

SILVA, M. C. G. B. *Use of subjective nutritional assessment and bioimpedance as prognostic factors for post-operative complications in digestive tract surgeries.* 2002. 222f. Thèse (Doctorat en épidémiologie) - Université fédérale de Pelotas, Pelotas, 2002.

SLEE, A. ; BIRCH, D ; STOKOE, D. Bioelectrical impedance vector analysis, phase-angle assessment and relationship with malnutrition risk in a cohort of frail older hospital patients in the United Kingdom (Analyse vectorielle de l'impédance bioélectrique, évaluation de l'angle de phase et relation avec le risque de malnutrition dans une cohorte de patients âgés fragiles hospitalisés au Royaume-Uni). *Nutrition,* v. 31, n.1, p.132-137, 2015.

SMITH, L. C. ; MULLEN, J. L. Nutritional assessment and indications for nutritional support.*Surg Clin North Am.* v.71, n.3, p.449-457, 1991.

SOCIÉTÉ BRÉSILIENNE DU DIABÈTE (SBD). *D635 Brazilian Diabetes Society Guidelines :* 2014-2015/Société brésilienne du diabète. São Paulo : AC Farmacêutica, 2015b.

SOCIÉTÉ BRÉSILIENNE DU DIABÈTE (SBD). *Directives de la Société brésilienne du diabète :* 2013-2014. São Paulo : AC Farmacêutica, 2014. Disponible à l'adresse : <http://www.nutritotal.com.br/diretrizes/files/342--diretrizessbd.pdf>. Consulté le : 12 avril 2016.

SOCIÉTÉ BRÉSILIENNE DU DIABÈTE (SBD). *SBD Official Positioning n⁰ 03/2015* : glycaemic control in hospitalised patients. São Paulo : SBD, 2015a.

SOTELO GONZALEZ, S. *et al.* Anthropometric parameters in the evaluation of malnutrition in hospitalised cancer patients : use of body mass index and weight loss percentage. *Nutr. Hosp.* Madrid, v.28, n.3, p.965- 968, jun. 2013. Disponible sur : <http://scielo.isciii.es/scielo.php?script=sci_arttext&pid=S0212-16112013000300057&lng=es&nrm=iso>. Consulté le : 22 mai 2016.

STEENSON, J. ; VIVANTI, A. ; ISENRING, E. Inter-rater reliability of the Subjective Global Assessment : a systematic literature review. *Nutrition.* v.29, n.1, p.350-352, 2013.

STEGEL, P. *et al.* Bioelectrical impedance phase angle as an indicator and predictor of cachexia in head and neck cancer patients treated with (chemotherapy) radiotherapy. *Eur J Clin Nutr.* v.1, S.n, fév. 2016.

THOMAS, M. B. Tumeurs du foie. In : HOFF, P. M. G. *et al.* (Ed.). *Traité d'oncologie.* São Paulo : Atheneu, 2013. p.120.

TOSO, S. *et al.* Altered tissue electrical properties in lung cancer patients as detected by bioelectric impedance vector analysis. *Nutrition.* v.16, n.2, p.120-124, 2000.

UMPIERREZ, G. E. *et al.* Hyperglycemia : an independent marker of in-hospital mortality in patients with undiagnosed diabetes. *J Clin Endocrinol Metab.* v.87, n.3, p.978-982, 2002.

VAN DEN BERGHE, G. *et al.* *L'*insulinothérapie intensive chez les patients gravement malades. *N Engl J Med,* v.345, n.19, p.1359-1367, 2001.

VAN DEN BERGHE, G. *et al.* Intensive insulin therapy in the medical ICU. *N Engl J Med.* v.354, n.5, p.449-461,2006.

VANNUCHI, H. ; UNAMUNO, M. R. D. L. ; MARCHINI, J. S. Evaluation de l'état nutritionnel. *Medicina* (Ribeirão Preto). v.29, n.1, p.5-18, 1996. Disponible à l'adresse : <http://www.revistas.usp.br/rmrp/article/view/707/719>. Consulté le : 12 avril 2012.

VICENTE, M. *et al.* Quelles sont les méthodes les plus efficaces pour évaluer l'état nutritionnel des patients ambulatoires atteints de cancer gastrique et colorectal ? *Nutr Hosp.* v.28, n.3, p.585- 591,2013.

VIGANO, A. *et al.* Clinical survival predictors in patients with advanced cancer. *Arch. Intern. Med.*, v.160, n.6, p.861-868, 2000.

WAITZBERG, D. L. ; CAIAFFA, W. T. ; CORREIA, M. I. Hospital malnutrition : the brazilian national survey (IBRANUTRI) : a study of 4000 patients. *Nutrition.* v.17, n.7-8, p.573-580, 2001.

WAITZBERG, D. L. *Oral, Enteral and Parenteral Nutrition in Clinical Practice.* 3.ed. São Paulo : Atheneu Publishing House, 2004.

WAITZBERG, D. L. ; CORREIA, M. I. Évaluation nutritionnelle chez le patient hospitalisé. *Curr Opin Clin Nutr Metab Care.* v.6, n.5, p.531-538, 2003.

WESTPHAL, A. *et al.* Phase angle from bioelectrical impedance analysis : Population reference values by age, sex, and body mass index. *JPEN J Parenter Enteral Nutr* v.30, p.309-316, 2006.

WHITE, J. V. *et al.* Déclaration de consensus de l'Académie de nutrition et de diététique/Société américaine de nutrition parentérale et entérale : caractéristiques recommandées pour l'identification et la documentation de la malnutrition chez l'adulte (dénutrition). *J Acad Nutr Diet.* v.112, n.5, p.730-738, 2012a.

WHITE, J. V. *et al.* Consensus statement : Academy of Nutrition and Dietetics and American Society for Parenteral and Enteral Nutrition : characteristics recommended

pour l'identification et la documentation de la malnutrition (sous-nutrition) chez l'adulte. *JPEN J Parenter Enteral Nutr.* v.36, n.3, p.275-283, 2012b.

WILHELM-LEEN, E. R. *et al.* Phase angle, frailty and mortality in older adults. *J Gen Intern Med.* v.29, n.1, p.147-154, 2014.

ORGANISATION MONDIALE DE LA SANTÉ (OMS). *Comité d'experts de l'OMS sur l'état physique :* L'utilisation et l'interprétation de l'anthropométrie. Genève : Organisation mondiale de la santé, 1995 (série de rapports techniques de l'OMS ; 854). Disponible à l'adresse : <http://apps.who.int/iris/bitstream/10665/37003/1/WHO_TRS_854.pdf>. Consulté le : 05 avril 2016.

YEON LEE, *et al.* Phase Angle and Survival Time in Terminal Cancer. *J Med.* v.35, n.05, septembre 2014.

ANNEXES

ANNEXE A - FORMULAIRE DE CONSENTEMENT ÉCLAIRÉ

Madame, Monsieur ____

Vous êtes invité à participer au projet de recherche "Angle de phase associé à l'état nutritionnel et d'hydratation des patients atteints de néoplasmes malins et soumis à un traitement chirurgical". Le but de l'étude est d'évaluer la relation entre l'angle de phase (qui est une valeur donnée lors de l'évaluation de la composition corporelle à l'aide d'un appareil de bioimpédance électrique, dans lequel passe un courant électrique qui ne peut être ressenti et qui n'est donc pas douloureux) et l'état de santé des patients présentant une lésion dans une partie de la tête, du cou ou du tube digestif et qui ont été hospitalisés pour une intervention chirurgicale. Votre participation est volontaire et votre traitement ne comporte aucun risque ou préjudice. Vous ne subirez aucune discrimination ni aucun préjudice dans votre traitement si vous ne souhaitez pas participer à la recherche ou si vous retirez votre consentement à tout moment au cours de l'étude. Votre participation consiste à autoriser l'utilisation, dans le cadre de la recherche, d'informations tirées de votre dossier médical concernant votre maladie. En outre, une évaluation nutritionnelle sera effectuée à quatre reprises, consistant en des mesures corporelles (telles que le poids, la taille et les circonférences), la composition corporelle (quantité de graisse et de muscle dans le corps), la force musculaire et la glycémie capillaire à l'aide d'un appareil appelé glucomètre. Les informations contenues dans cette enquête sont confidentielles et votre identité ne sera pas révélée. Les informations ne seront utilisées que dans le cadre de la recherche. Vous êtes entièrement libre de clarifier tout doute qui pourrait survenir avant et pendant la recherche.

J'ai lu et compris les informations ci-dessus et j'accepte de participer volontairement au projet.

Belo Horizonte, 2015.

____

Nom et numéro d'enregistrement | Signature du participant

Nom | Signature de l'étudiant

Nom | Signature du chercheur

Natália Fenner (étudiante en master) - (31) 93187048/natalia.fenner@hotmail.com
Simone Generoso (Chercheur) (31) 8812-8650/simonenutufmg@gmail.com
Comité d'éthique de la recherche, UFMG (31) 3409-4592Av. Antônio Carlos, 6627 - Unidade
Administratif II - 2ème étage - Salle 2005

ANNEXE B - INSTRUMENT DE COLLECTE DE DONNÉES

PROJET : AF - UFMG/HC - INSTITUTO ALFA . RESPONSABLE DE

ACHEVEMENT : ______________________

1) Identification

Numéro de dossier médical : Nombre de lit ______________

Nom : **Contact** : (____) -

Sexe : (1) Féminin (2) Masculin
Actes de la conférence : ______________________
Race : **Âge :**

État civil : (1) Célibataire (2) Marié / partenariat civil (3) Veuf (4) Divorcé
Date de naissance /________________________/Date d'**hospitalisation**:___//

2) Histoire de la santé

Tumeur locale : (1) EED (2) CCP (3) COLOP (4) FVB
Type de tumeur : ______________________________
Temps écoulé depuis le diagnostic : années mois.
Type de traitement du patient : (1) Chirurgical
Antécédents : (1) HSA (2) DM (3) ICR (4) Dyslipidémie (5) IAM (6) ICC(7) AVC
(8) Autre, lequel/lesquels ?

3) Évaluation nutritionnelle

A) Évaluation subjective globale (ESG)
L'histoire
Poids
Poids habituel : Kg. % PP :
Avez-vous perdu du poids au cours des 6 derniers mois ? (1) Oui (2) Non (3) Inconnu
Quantité perdue: Kg.
Au cours des 2 dernières semaines : (1) Toujours en perte de poids (2) Stable (3) A pris du poids
Consommation de nourriture par rapport à la consommation habituelle
(1) Pas de changement (2) Il y a eu des changements.
Si oui, depuis combien de temps : jours.
Le cas échéant, régime alimentaire : (1) Solide, en plus petite quantité (2) Liquide complet (3) Liquide restreint (4) Jeûne
Symptômes gastro-intestinaux présents depuis plus de 15 jours
(1) Oui (2) Non
Manque d'appétit : (1) Oui (2) Non Nausées : (1) Oui (2) Non Vomissements : (1) Oui (2) Non
Diarrhée - Plus de 3 selles liquides par jour : (1) Oui (2) Non
Capacité fonctionnelle
(1) Sans dysfonctionnement (2) Avec dysfonctionnement
En cas de changement, depuis combien de temps : jours.
Type de dysfonctionnement : (1) Travail sous-optimal (2) Traitement ambulatoire (3) Alité
Maladie principale et relation avec les besoins nutritionnels Diagnostic(s) principal(aux) :
Demande métabolique : (1) Faible stress (2) Stress modéré (3) Stress élevé

Examen physique
Attribuez une valeur à chaque élément :

0 = Normal	___ Perte de graisse sous-cutanée (triceps et poitrine)
1 = Léger	___ Perte musculaire (quadriceps et deltoïde)
2 = modéré	___ Présence d'un œdème malléolaire
3 = Important	___ Présence d'un œdème présacré

Évaluation subjective
Résultats finaux :
(1) Nourri (2) Malnutrition soupçonnée ou malnutrition modérée (3) Malnutrition sévère
2 Classifications
(1) Eutrophique (2) Malnutri Source : Detsky *et al.*,(1987).

Test biochimique

Variable	PO/hospitalisation OU 24h PO//	Entre la 3e et la 5e DPD//	Sortie d'hôpital //
Glycémie 06h00min 18.00	-	-	-

Anthropométrie Date estimée de l' intervention ___/___/_______________

Variable	PO Hospitalisation //	24h PO //	Entre le 3e et le 5e DPD //	Sortie d'hôpital //
Poids actuel (kg)				
Hauteur (m)				
Circonférence Poignée (cm)				
Os	TeintPetitMoyenGrand			
CB (cm)				
Classification CB (1) avec déficit (2) sans déficit				
PCT (cm)				
Classification PCT (1) avec déficit (2) sans déficit				
CMB				
AMB				
Classification AMB (1) avec déficit (2) sans déficit				
IMC				
Classification IMC (1) Nourri (2) Mal nourri				

RESPONSABLE DE L'EXÉCUTION_______________________________________

Évaluation fonctionnelle

Variable	PO Hospitalisation //	24h PO //	Entre le 3e et le 5e DPD //	Sortie d'hôpital //
Dynamométrie (1) Droite (2) Gauche	Moyenne	Moyenne	Moyenne	Moyenne ______

Ob : Position/bras > Angle = 90° ; vérifier que le patient a accès et marquer "X" sur le bras dominant

Bioimpédance électrique

Variable	PO Hospitalisation //	24h PO //	Entre le 3e et le 5e DPD //	Sortie d'hôpital //
Résistance				
Réactance				
Masse grasse (kg)				
Pourcentage de graisse corporelle				
Eau corporelle totale				
Angle de phase				

4) Résultats cliniques

Complications infectieuses et non infectieuses postopératoires

Variable	Présence	Variable	Présence
Infection de la plaie	(1) Oui (2) Non	Déhiscence de la plaie chirurgicale	(1) Oui (2) Non
Abcès abdominal	(1) Oui (2) Non	Transfusion sanguine	(1) Oui (2) Non
Pneumonie	(1) Oui (2) Non	Insuffisance respiratoire aiguë	(1) Oui (2) Non
Infection des voies urinaires	(1) Oui (2) Non	Insuffisance rénale	(1) Oui (2) Non
Bactériémie	(1) Oui (2) Non	Insuffisance cardio-circulatoire	(1) Oui (2) Non
Infection du cathéter veineux	(1) Oui (2) Non	Dysfonctionnement du foie	(1) Oui (2) Non
Septicémie	(1) Oui (2) Non	Fistule	(1) Oui (2) Non

Utilisation d'antibiotiques pendant l'hospitalisation : (1) Oui (2) Non

Durée du séjour : USI ___________ Total post-opératoire :__________

Date de sortie de l'hôpital:_// __Décès : (1) Oui (2) Non

Milton Keynes UK
Ingram Content Group UK Ltd.
UKHW011143010424
440421UK00001B/224